> La vie
     après l'amour

LES ÉDITIONS LA SEMAINE
2050, rue De Bleury, bureau 500
Montréal (Québec) H3A 2J5

Directeur-général des éditions : Pierre Bourdon
Directrice des éditions : Annie Tonneau
Directrice artistique : Lyne Préfontaine
Coordonnateur aux éditions : Jean-François Gosselin
Infographiste : Marylène Gingras
Scanneriste : Éric Lépine

Réviseures-correctrices : Nathalie Ferraris, Marie-Hélène Cardinal, Marie Théorêt
Photos de la couverture : Shutterstock
Illustrations intérieures : Shutterstock

Les propos contenus dans ce livre ne reflètent pas forcément l'opinion de la maison d'édition.

L'éditeur bénéficie du soutien de la Société de développement des entreprises culturelles du Québec pour son programme d'édition.

REMERCIEMENTS
Gouvernement du Québec – Programme de crédit d'impôt pour l'édition de livres – Gestion SODEC

Nous reconnaissons l'aide financière du gouvernement du Canada par l'entremise du Fonds du livre du Canada pour nos activités d'édition.

© Charron Éditeur inc.
Dépôt légal : deuxième trimestre 2013
Bibliothèque et Archives nationales du Québec
Bibliothèque et Archives Canada
ISBN (version imprimée) : 978-2-89703-104-6
ISBN (version électronique) : 978-2-89703-105-3

Maxime Roussy

Le blogue de Namasté

> La vie
    après l'amour

ÉDITIONS
LASEMAINE

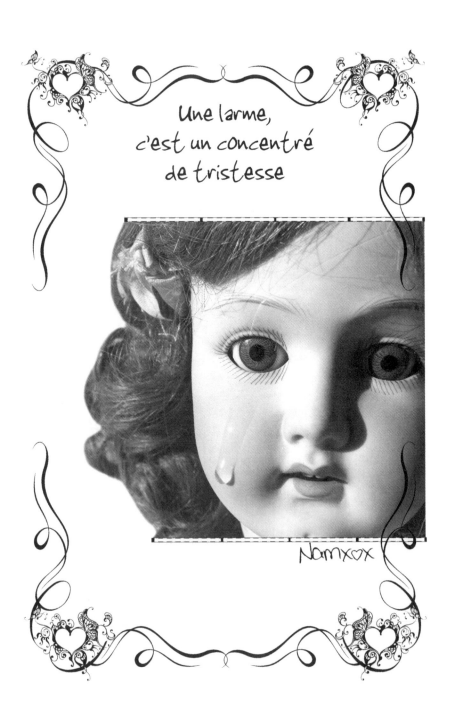

Une larme,
c'est un concentré
de tristesse

Namxox

> Pleurer, mode d'emploi

Mom est morte.

MOM.

EST.

MORTE.

Quand, en arrivant de chez Alexandre, j'ai vu mon père et mon frère pleurer à la table de la cuisine, ces trois mots ont résonné dans ma tête comme un gong.

Mon cœur s'est déchiré en deux.

Je n'ai pas pu m'empêcher de m'effondrer en larmes.

Faut dire que de voir mon frère et mon père pleurer en même temps, c'est aussi rare que d'apercevoir un nudiste en échasses *pendant* une éclipse solaire.

Lorsque Pop a vu ma réaction et qu'il a compris que j'avais mal interprété la situation, il m'a consolée :

– Non, non, Nam, ce n'est pas ce que tu penses. Ta mère va un peu mieux.

– Ah oui ? Il se passe quoi, alors ?

– Je veux pas en parler, a dit Fred.

J'ai essayé de lui tirer les vers du nez (beurk !) sans succès – j'ai cependant sorti de ses narines un canapé, deux piles AA et une paire de lunettes qui n'appartient à personne de la maison.

Je veux savoir pourquoi mon frère pleurait.

Je rectifie : je VAIS savoir pourquoi il pleurait.

Pop me dit que c'est un sujet «personnel» et que ça ne me regarde pas.

Euh, Pop? Si ça se passe dans un rayon de 100 kilomètres autour de moi, ça me regarde.

(...)

Je ne veux pas avoir l'air d'une toquée extravagante (hein?!), mais j'aime ça, pleurer.

Attention, ne te méprends pas, public en délire.

Oui, je parle à toi qui es grimpé dans l'arbre en face de la fenêtre de ma chambre.

Oui, TOI.

Tu es tellement obsédé par moi que tu m'observes non pas avec des jumelles, mais avec un microscope (GROS CAPOTÉ DANS LA TÊTE !).

Tu sais pourquoi je t'ai reconnu?

Tu le sais? Non? Je vais te le dire : parce que t'es déguisé en cocotte géante tandis que mon arbre, c'est un érable.

C'est comme si t'étais une boule disco dans un pâté chinois.

Je t'aime quand même, public en délire ; t'es tellement mignon !

Tant que tu ne dégénères pas en émeute ou que tu ne votes pas pour un parti de droite, je vais te réserver une place dans mon cœur, entre le ventricule gauche et le sillon interventriculaire avec artères coronaires.

Donc, j'aime pleurer, mais je n'aime pas souffrir.

Ce qui vient avant les larmes – une mauvaise nouvelle, un coup de marteau sur une paupière ou le sectionnement d'une jambe à froid avec une scie rouillée dans la jungle amazonienne par un médecin de brousse aux yeux croches –, je pourrais m'en passer.

C'est bon, pleurer.

Après avoir versé un torrent d'eau d'yeux, je me sens calme, déstressée et en paix avec l'univers.

Ça me donne un peu l'impression d'avoir passé du temps dans un centre de santé, moins le bain de boue et les vieux messieurs trop gros en robe de chambre et en pantoufles blanches.

Ça a un effet libérateur sur moi (pleurer, pas les vieux messieurs trop gros en robe de chambre et en pantoufles blanches, grand fou !).

L'être humain est le seul mammifère qui utilise les larmes comme moyen d'afficher certaines émotions – peut-être que la baleine bleue le fait, mais tsé, vu qu'elle vit dans l'eau, c'est impossible à savoir. 😊

Tu veux d'autres faits intéressants parce que tu as soif de connaissances ?

♣ 77 % des pleurs ont lieu à la maison.

✤ 70 % des gens qui pleurent ne font aucun effort pour le cacher.

✤ 30 % des crises de larmes durent plus d'une demi-heure et.

✤ 8 % plus d'une heure (*get a life*, t'as rien de mieux à faire ?!).

✤ Pleurer a été décrit par des scientifiques comme « un phénomène complexe d'induction d'une glande caractérisé par l'effusion de larmes de l'appareil lacrymal, sans aucune irritation des structures oculaires ».

✤ C'est laid, le mot « glande ».

✤ « Lacrymal » non plus, c'est pas beau.

✤ 40 % des gens pleurent seuls.

✤ Le moment où on a le plus de chances (deuh !) de pleurer est entre 18 h et 20 h.

✤ Chaque année, en moyenne, les filles pleurent 47 fois.

✤ Chaque année, en moyenne, les gars pleurent sept fois.

Quelle introduction fascinante pour parler de mon grand frère Fred !

Quand je suis revenue de chez Alexandre, mon père et mon frère étaient assis à la table de la cuisine et pleuraient.

Encore plus choquant, ils ne se cachaient pas.

Dans le domaine des pleurs, les hommes et les femmes ne sont clairement pas dans la même catégorie.

Une fille qui pleure attire la sympathie, tandis qu'un gars qui pleure se voit jeter un sort pour que cette ignominie n'arrive plus jamais !

Mais nooon. Je suis totalement pour les gars qui pleurent.

Mais pas trop souvent quand même, on a besoin de les sentir forts.

Fred veut se servir de l'ordinateur et comme je le sais maintenant fragile comme un pétale de rose qui vient d'atterrir sur le sol, je vais le lui laisser.

* *

Pleure avec style !

Ne trouves-tu pas tes larmes ternes et ennuyeuses ?
Ajoute de la couleur dans tes moments
les plus sombres !
Rainbow Tears te permet de pleurer en bleu,
en rouge ou en jaune !
Verse une dose dans chaque oeil avant une crise
de larmes et fais le cadeau de la couleur
aux proches qui te soutiennent.
Tu peux également mélanger les coloris,
mais, attention, un trop savant mélange
te fera pleurer brun.

www.peutcauserlacecite.com

* *

S'il le faut...

Namxox

Publié le 31 janvier à 20 h 58
Humeur : intriguée

> Snif snif snif, la suite

J'ai commencé mon investigation afin de connaître la raison pour laquelle Fred pleurait.

Dans sa chambre, j'ai relevé des empreintes.

J'ai parlé à des témoins.

Je dois aussi effectuer un test d'ADN sur un mouchoir dans lequel il aurait vidé les deux cavités situées entre ses deux joues pendant ses pleurs.

Il se peut que je doive le soumettre à un interrogatoire serré pour savoir ce qui s'est vraiment passé. 😊

S'il faut que je le torture en l'empêchant de dormir, en ne lui offrant à manger que des fruits ou des légumes, ou en lui faisant lire un roman de plus de 150 pages (oui, je sais que c'est extrême et contre la convention de Genève sur les traitements cruels), je vais le faire.

La vérité est plus importante que tout.

Et la satisfaction de ma curiosité encore plus !

(…)

Je suis allée visiter mon fournisseur de réglisses rouges et, en échange d'un sourire et d'un «merci», il m'a donné cette exquise friandise rouge et sucrée qui s'agglutine sur mes broches et que je peux déloger uniquement quand je les frotte avec un grattoir à glace.

On en a profité pour discuter un peu.

J'aime quand il me raconte des histoires de l'ancien temps, à l'époque où la roue et l'imprimerie n'étaient pas encore inventées.

Ça fait drôle de penser qu'il a déjà eu mon âge.

Qu'il a déjà été imberbe et immature.

Qu'il a déjà *cruisé* des filles en utilisant des méthodes ridicules, comme se coiffer les cheveux avec de la brillantine (l'ancêtre du gel, mais avec du gras animal et de la radioactivité en plus), porter des chemises aux motifs impossibles avec des cols qui descendent jusqu'aux genoux, parler avec les mêmes intonations qu'Elvis Presley (!?) et aller à l'église pour montrer aux filles (et surtout à leurs mères) qu'il a les valeurs à la bonne place.

Il allait beaucoup à la messe, deux ou trois fois par semaine, même s'il haïssait ça. Mais c'était pour flirter avec des filles sans qu'elles se sentent menacées. Quelle fripouille, ce représentant de l'âge d'or ! 😐

Eh bien, ça a fonctionné parce que c'est comme ça qu'il a connu ma grand-mère.

Merci, Jésus ! Sans toi, je ne serais pas née.

Je lui ai demandé s'il savait pourquoi Fred pleurait cet après-midi; il n'en avait aucune idée.

Grand-Papi m'a raconté que son père lui avait déjà flanqué des taloches parce qu'il pleurait après s'être fait mal en tombant sur les genoux : il avait quatre ans et c'est le plus vieux souvenir qu'il garde.

Raison de cette correction : un gars, ça ne pleure pas !

Même si cette horrible anecdote s'est produite pendant la Renaissance (oui, mon arrière-grand-père est Léonard de Vinci), l'attitude envers les gars et leurs émotions n'a pas beaucoup changé.

Moi, je pleure assez souvent. Je ne tiens pas de calendrier, mais je dirais que ça m'arrive peut-être une ou deux fois par heure.

Mais nooon, je niaise.

Fred dit que je suis « braillarde », Mom dit plutôt que je suis « sensible ».

(...)

Sensible, moi ?! Mets-en, Normand !

À l'animalerie, si je passe devant la cage des chiens, des chats, des hamsters, des cochons d'Inde ou de tout autre créature poilue (y compris la commis moustachue qui s'occupe des reptiles), je pleure.

Si je visionne sur le Net la vidéo d'un bulldog qui fait du *skateboard*, je pleure (*idem* si c'est un perroquet, une chèvre ou un mammouth).

Je pleure quand je regarde un film triste ou qui a une fin touchante.

Je pleure chaque fois que je lis une histoire qui a rapport avec des enfants maltraités ou abandonnés ou qui sont forcés de porter des vêtements fluos.

Je pleure quand il y a trop de tension dans la maison.

Je pleure pendant le moment-du-mois-où-je-suis-plus-à-cran (non, je ne parle pas de mon S.P.M., mais plutôt de mon P.A.P.F. – pas d'argent dans le porte-feuille).

Je pleure aussi pendant mon S.P.M., même si je trouve mille raisons pour essayer de prouver que ça n'a aucun rapport (tsé, je taille un crayon à mine et je souffre pour lui).

Bref, pleurer, c'est quasiment un hobby pour moi.

C'est limite ridicule.

Il y a bien des thérapies par le rire, je pourrais en inventer une par les pleurs. Je suis sûre que ça fonctionnerait.

Genre dix personnes se rencontrent une fois par semaine et regardent des images d'enfants pauvres qui cherchent de la nourriture dans des dépotoirs ou observent des photos de vaches/cochons/poules dans un abattoir et passent l'heure suivante à brailler.

Ah! Ah! Tellement déprimant!

(...)

C'est fou comme pour certaines personnes, pleurer est naturel tandis que pour d'autres, ce n'est pas une option valable.

Grand-Papi, plus il vieillit, plus il se laisse aller, même s'il dit que ce n'est pas facile.

Tandis que mon frère, il ne pleure pas.

Mon père non plus.

Pop, j'en ai parlé, c'est un soldat ; il a été dressé (oui, comme un chien, c'est lui qui le dit) à se couper de ses émotions.

Parce qu'en situation de stress intense, un militaire doit faire preuve de sang-froid. S'il pète les plombs, ça pourrait coûter la vie à plusieurs de ses camarades.

Et un soldat sur un champ de bataille qui se met à hurler et à tirer partout parce qu'il a vu une araignée, ça fait pas très professionnel.

Je suis pour que les gars pleurent plus souvent.

Sinon, ils gardent tout à l'intérieur et ça pourrit.

Après, ils sont angoissés et ils trouvent des moyens malsains pour accepter leur mal de vivre.

Pas pour rien que Pop boit autant d'alcool.

Et que son père, aussi alcoolique, utilisait ses poings pour exprimer ses émotions.

Autre chose qui m'a étonnée dans la discussion avec Grand-Papi : quand il était tannant, il se faisait souvent frapper par les frères (les professeurs religieux).

Coups de règle sur les doigts, punitions à genoux sur des billes dans le coin de la classe (j'ai essayé : ouche ! j'ai pas pu tenir plus de cinq secondes) et gifles en public étaient au menu des réprimandes.

Et quand il s'en plaignait à ses parents, ils lui disaient que s'il avait reçu une telle correction, c'est qu'il le méritait.

Il y a des frères (pas tous, il y en a qui étaient super *cool*) qui n'arrêtaient de donner des coups que lorsque l'élève pleurait. *Full* humiliant !

Les temps ont tellement changé.

Aujourd'hui, un prof qui frappe un élève peut être renvoyé.

Et un élève qui est violent avec un prof devient un héros ; il signe des autographes aux autres élèves qui ont des étoiles dans les yeux en le regardant.

On est passé d'un extrême à l'autre.

Me semble qu'il y aurait de la place pour un peu d'équilibre et, surtout, de respect.

(…)

Je voulais raconter ce qui s'est déroulé avec mon «ami» Alexandre cet après-midi, mais je suis trop fatiguée pour le faire.

Ça ira à demain, si je ne me fais pas ronger les doigts par des rats pendant la nuit.

(Hein ?!)

Débarrasse, le chérubin

Namxox

> Seule pour toujours

Je suis un peu déprimée.

La Saint-Valentin est dans exactement deux semaines et je n'ai pas de *chum*.

Je sais que ce n'est vraiment pas nécessaire, que mon bonheur ne devrait être aucunement lié au fait que je sois amoureuse ou non.

Mais vu que ça ne s'est pas super bien terminé avec Mathieu, l'approche de la Saint-Valentin me donne un arrière-goût de pelure d'orange dans la bouche.

Comme pour me rappeler que l'amour, ça peut être super beau, mais aussi super laid.

Il me semble que c'est la seule fête commerciale à date fixe qui n'est pas pour tout le monde. Noël, le jour de l'An, Pâques, l'Halloween, tout le monde peut y participer.

La Saint-Valentin, c'est la fête des amoureux. Qu'est-ce qui arrive si t'en as pas?

C'est de la discrimination!

Et que dire de la mascotte de l'événement?

Noël, c'est un grand-papa souriant, bien en chair et vêtu d'un habit rouge.

Pâques, c'est un lapin qui pond des œufs en chocolat (hum, suspect).

Pour la Saint-Valentin, on a droit à un joufflu exhibitionniste qui a des ailes d'ange et une arme possiblement mortelle !

Tu parles d'un bizarre.

Fils de deux planètes, Mars et Vénus (comment ça copule, un astre ? Je veux voir ça !), Cupidon, un dieu, tombe amoureux d'une simple mortelle du nom de Psyché, une princesse qui vit dans un château. Cupidon va vivre avec elle, mais lui demande de ne jamais le regarder ni de deviner son identité.

Les sœurs de Psyché, affreusement jalouses, la persuadent qu'il cache son visage parce qu'il est un pou géant attendant le moment propice pour sucer tous ses organes.

Une nuit, Psyché s'approche de Cupidon avec une lampe. Elle découvre alors qu'il s'agit du plus bel homme qui soit, un mélange subtil entre le colonel Kentucky et Harry Potter.

Une goutte d'huile de sa lampe tombe alors sur lui ; Cupidon se réveille et, furieux d'avoir été trahi, décampe sans faire son lit.

Psyché part à sa recherche. Après plusieurs épreuves dont des problèmes administratifs au bureau des passeports, elle monte sur une tour, désespérée, pour se jeter dans le vide et en finir.

Mais la tour lui parle (sans blague) et la convainc de poursuivre sa quête.

Finalement, elle et Cupidon sont réunis.

Quelque temps plus tard, Psyché accouche d'une fille qu'elle et son amoureux baptisent, dans un moment d'exquise inspiration, Majuscule.

Dès que Majuscule met le pied à l'école, la cruauté du milieu scolaire la rattrape; des camarades de classe la surnomment, insulte suprême – j'ai du mal à l'écrire tellement c'est abominable –, ils la surnomment donc, gulp! Minuscule.

Horrifiés par une injure aussi grotesque, les parents changent son prénom pour Volupté.

C'est pas mal mieux.

J'avoue que j'ai un petit peu modifié l'histoire; Mars et Vénus sont des dieux, je trouvais juste drôle l'idée de deux planètes qui pouvaient *frencher,* mais le reste est authentique.

Voyons l'origine de la fête de la Saint-Valentin. Tu vas voir, public en délire, c'est beaucoup moins pété que l'histoire de Cupidon.

Ça se passe dans le temps des Romains (Ier siècle après Jean-Claude).

Entre le 13 et le 15 février, on célébrait le festival du Lupercalia qui avait pour but de chasser les démons et de purifier la ville.

L'activité principale consistait à sacrifier des chiens et des chèvres dont les hommes utilisaient ensuite les peaux pour fouetter les femmes.

Ah oui, tout le monde était saoul et nu.

(Cela ressemble étrangement à certains Noëls passés dans la famille de mon père.)

À noter : l'empereur Claudius II (Claudius I a tellement eu de succès qu'il y a eu une suite) a fait exécuter à deux années différentes lors de son règne (IIIe siècle) des hommes nommés Valentin le 14 février.

(Exécuter des hommes prénommés Valentin, c'est plus dans la famille de ma mère que ça se passe.)

Comment, environ 1 700 ans plus tard, l'être humain en est-il venu à dénaturer et pervertir de si belles traditions en offrant des roses et du (beurk) chocolat (beurk)?!

DÉCADENCE !

Après, on dit que l'homme a énormément évolué depuis l'Antiquité. Balivernes !

(L'homme n'a pas évolué, mais la femme, si... Hé, hé, hé...)

(...)

Pour l'instant, je pense que je ne suis pas mûre pour avoir un *chum*.

Même si je voyais Cupidon lancer des flèches ardentes à gauche et à droite et que je lui faisais de grands signes pour qu'il m'atteigne, ça ne fonctionnerait pas.

Il s'approcherait, me jetterait un coup d'œil et me dirait, l'air dégoûté :

– Dégage, espèce de *looser* ! Y'a personne qui t'aime. Même si j'essayais de te lancer une flèche, t'es tellement repoussante qu'elle va faire demi-tour en couinant de terreur.

Et moi de lui rétorquer :

– Hey, le pigeon grassouillet, t'as un p'tit *swizzle* !

C'est pas super mature comme réplique, mais j'aurais au moins l'impression d'avoir le dernier mot.

(…)

Tant de choses à écrire et si peu de temps pour le faire !

Fred vient de me demander si j'avais écrit «son» scénario sur l'histoire d'une petite personne qui devient géante et qui détruit tout sur son passage.

Hey, Brise du printemps (plutôt le contraire), je ne suis pas un robot !

En plus, il veut tourner un film de 90 minutes pour «pouvoir faire le tour des festivals avec et avoir accès aux plus grandes salles des cinéma».

Toujours aussi réaliste, mon grand frère.

* *

Vivez comme chez les Romains !

L'auberge Romaine et ses laitues vous offre
le privilège de vivre à l'époque romaine comme
esclave. Vous pourrez ainsi jouir du privilège
d'être traité avec autant d'égards qu'une lampe
ou une poubelle, de travailler comme une bête sans
être payé et d'essuyer une quantité phénoménale
d'insultes prononcées par votre hôte,
Romaine elle-même !
Vous pourrez également revivre l'éruption volcanique
qui a anéanti la ville de Pompéi grâce à Rogatien le
cracheur de feu, fils de Romaine.
C'est comme si vous y étiez !

* *

Publié le 1er février à 12 h 35
Humeur : chagrinée

> Je sais !

Oh là là...

Je viens d'apprendre la raison pour laquelle mon frère pleurait hier quand je suis rentrée à la maison.

C'est comme s'il y avait un bûcheron barbu avec des avant-bras gros comme ça qui venait de fendre mon cœur avec sa hache bien affûtée. ☹

Ces derniers jours, Fred avait un comportement bizarre.

Je te l'accorde, public en délire : mon grand frère a *constamment* un comportement bizarre. Mais c'était plus que d'habitude parce que ça concernait Mom.

Pas eu besoin de le torturer, j'ai posé la question au bon moment et il s'est ouvert.

Fred m'a dit plusieurs fois de ne pas m'en faire, que Mom allait guérir de son cancer généralisé.

Il était tellement sûr de lui que je l'ai un peu cru. J'ai voulu le croire, en fait.

Je me disais qu'il avait obtenu des informations privilégiées.

Ce n'est pas rien de promettre à sa petite sœur que ce qui la fait souffrir le plus au monde va bientôt prendre fin.

Je ne veux pas que Mom meure. Je serais prête à tous les sacrifices inimaginables pour qu'elle vive encore quelques années (une cinquantaine, mettons).

Si un savant fou sonnait à la porte et me jurait qu'en échange de mes deux bras il pourrait guérir Mom, je lui laisserais les couper et partir avec.

On peut dire que je suis désespérée.

Et donc extrêmement vulnérable.

C'est une porte grande ouverte pour tous les charlatans du monde.

Des vautours qui n'attendent qu'un moment d'inattention pour percer la chair avec leur bec pointu et en dévorer un morceau.

Même s'ils savent qu'on souffre, même s'ils nous savent sans défense, il continuent.

Ils n'en ont rien à faire de notre détresse; ce qui compte, c'est qu'ils se remplissent la panse qui n'est jamais assez pleine.

Ces oiseaux de malheur s'attaquent aux personnes âgées, aux individus seuls et démunis, aux déficients intellectuels; ils ne font aucune discrimination, tant qu'ils peuvent gober des morceaux de chair.

Fred a acheté un sort sur le Net.

Oui, un sort comme dans « sortilège ».

C'est un « sorcier » d'un pays d'Afrique qui a encaissé l'argent.

Fred l'a payé en utilisant la carte de crédit de Pop.

Ça a coûté 300 dollars.

Tout ce que Fred avait à faire pour que le magicien procède était d'envoyer le nom complet de Mom et sa date de naissance.

À peu près sept jours après avoir reçu le paiement, il garantissait que Mom allait être guérie.

Sept jours, ç'a été le temps nécessaire au sorcier pour effacer ses traces.

Ça fait 24 jours que l'achat a été effectué et le corps de Mom est toujours rongé par des métastases.

Et la compagnie de carte de crédit n'arrive plus à retracer l'Africain.

Pop était super fâché, mais, en même temps, il a eu pitié de mon frère.

Il a cassé sa bulle.

Il lui a montré la vérité comme elle est : laide.

Et comme Pop n'est pas le roi de la subtilité, il n'a pas pris de raccourci.

Mom a un cancer généralisé ; elle a cessé tout traitement et les médecins se concentrent maintenant sur son bien-être.

Son espérance de vie est petite ; moins de six mois.

Si elle ne tombe pas malade, comme maintenant, ce sera peut-être un peu plus.

Son système immunitaire étant faible, un simple rhume peut lui être fatal parce qu'il risque de dégénérer en bronchite, puis en pneumonie.

C'est nul, c'est poche et ça fait suer, mais c'est la réalité. 🙁

Pop a été dur avec Fred, mais je pense que c'est ce qu'il fallait pour qu'il remette les pieds sur terre.

Mon frère a eu mal et s'est effondré.

Toutes ses illusions se sont envolées.

Même s'il dit à présent que «tout va bien» (euh, non, Mom est presque mourante), y'a quelque chose qui a changé chez lui.

Il n'a pas la même énergie.

Je voudrais bien le protéger de cette douleur, mais ce n'est pas possible.

Parce que ce ne serait pas l'aider et aussi parce que j'ai la mienne à endurer.

Pour lui remonter le moral, je lui ai dit que j'avais commencé le scénario de *L'attaque du nain géant*.

Ça lui a fait plaisir.

J'allais lui offrir de faire le ménage de sa chambre, mais je me suis ravisée juste à temps.

J'ai tourné ma langue sept fois avant de dire une bêtise.

Je suis gentille, mais pas *à ce point*. 😊

Tsé.

copier/coller

> L'étau se resserre

Mouais, ça se corse pour Lara et le roman qu'elle a publié, mais pas écrit.

Il y a eu un article dans le journal ce matin à l'effet que l'histoire se retrouvait en entier sur le Net sur un site accessible à tous.

L'éditeur a été interviewé et le pauvre a rué dans les brancards. Il parle de piraterie, de poursuite, de droits d'auteur...

Il croit que quelqu'un a copié l'œuvre de Lara et qu'il l'a publiée sur les internettes et non le contraire.

Paraîtrait que Lara lui aurait «juré» hier que le manuscrit qu'elle lui a soumis est le fruit de sa propre imagination.

Aïe, aïe, aïe.

C'est tellement *big*, cette histoire.

Sur le mur Fesse-de-bouc de Kim, les opinions penchent, pour l'instant, du côté de Lara.

Tout le monde trouve ça dégueulasse qu'un individu vole le travail d'une pauvre adolescente qui a travaillé si fort pour écrire un roman dans ses temps libres.

Il y a d'autres élèves qui pensent plutôt que c'est Lara qui a plagié, étant donné que l'histoire a fait son apparition sur le site il y a trois ans.

D'autres rétorquent qu'il est possible de *hacker* la date d'un site.

Des journalistes ont retrouvé Luc Dugas, le véritable auteur de l'histoire.

Quand sa version des faits va être connue, ça ne sera pas beau.

Dans tout ça, je pense à Lara.

Je sais que c'est un geste vraiment stupide qu'elle a posé, mais crime, y'a pas quelqu'un, quelque part, qui aurait pu tirer la sonnette d'alarme ?!

C'est pour ça qu'on devient adulte à 18 ans et non pas à 14.

C'est parce qu'on a des choses à apprendre. Des erreurs à commettre qui n'ont pas trop de conséquences et qui nous donnent des leçons.

Monsieur Patrick m'a dit que des cas de « copier/coller », il y en a au moins un par semaine à l'école.

La conséquence est de recevoir la note zéro.

Et si t'es le moindrement intelligent, tu ne le refais plus parce que c'est *full* humiliant. Et franchement, si tu n'as apporté aucune modification au texte que tu viens de copier, tu mérites vraiment de te faire coincer.

Imagine si ce zéro dans ton devoir, parce que t'as sombré dans le piège du copier/coller, devenait public.

Genre tu te lèves un matin et tous les médias parlent de ta tricherie.

La honte totale! 😮

(...)

J'ai envoyé un texto à Lara cet après-midi, elle ne m'a pas rappelée.

Lara, si tu me lis (c'est impossible, mais bon), je pense très fort à toi. Sache que je te soutiens.

Mais hey! ne copie/colle pas mon blogue pour en faire des romans et dire que c'est toi qui les écris.

(Qui voudrait lire les péripéties *tousse, tousse* stupéfiantes d'une adolescente *tousse, tousse* parfaite comme moi? Qui?! Non, pas toi, public en délire, tu mérites beaucoup mieux.)

* Tousse, tousse *

À l'aide, ça me démange dans la gorge!

* Tousse, tousse *

Comme si je venais de manger de la salade aux orties, aux chardons et à l'herbe à poux!

* Tousse, tousse *

À l'aide!

* Tousse, tousse *

Je ne peux plus respirer!

(...)

Bon, ça va mieux.

Je me suis fait moi-même la méthode de Heimlich, qui consiste à effectuer des poussées sur la cage thoracique afin de déloger les intrus dans l'œsophage.

Je me suis projetée à plusieurs reprises sur la poignée de porte de ma chambre, c'était beau à voir.

En passant, merci de ta non-aide, public en délire.

Pendant que je mourais, tu continuais à me lire. Suuuper !

Pas grave, je t'aime quand même.

(Si tu te demandes ce qui vient de se passer, sache que je ne le sais pas plus que toi. On oublie tout et on repart à zéro, d'accord ?)

(…)

Alexandre, Alexandre, Alexandre…

Il est tellement gentil, ce garçon.

Une vraie soie (manière de parler, je sais qu'il n'est pas une fibre textile d'origine animale produite par certains invertébrés dont des chenilles, quelques papillons et araignées ; j'ignore aussi s'il est exceptionnel en matière de résistance et d'élasticité).

J'ai passé du temps chez lui, on a regardé un film d'horreur d'une nullité sans nom (donc savoureux), *Death Bed : The Bed That Eats* – traduction libre : *Le lit de la mort : le lit qui mange.*

Débile comme titre, n'est-ce pas ?

Le film l'est 100 fois plus.

Un long-métrage de 1977 dans lequel un lit possédé par le démon dévore ses utilisateurs.

Le film n'est sorti qu'en 2002, donc il a passé plus de 25 ans dans le bureau du réalisateur qui ne se rappelait plus qu'il avait produit cette suite ignoble d'images qui bougent et qu'il a sous-titrée «Le film d'horreur perdu des années 70».

Yeah! Je n'ai pas été déçue, alors je vais en faire la critique dans le prochain *ÉDÉD*.

Mes scènes préférées:

• deux mecs (dont un avec une moustache ÉPIQUE) jouent aux cartes, il y a des bruits étranges et le mec qui n'a pas de poils sur la lèvre supérieure commence à tirer partout avec un fusil, puis il se dissout dans une mousse orange, de même que le mec à la moustache;

• une pomme est absorbée par le lit et, lorsqu'il la rejette, il ne reste que le cœur (ah! ah! ah!);

• même chose pour une bouteille de vin et un baril de poulet frit; après les avoir absorbés, le lit les régurgite vides (l'égoïste!);

• un homme aux cheveux frisés s'empare d'un couteau et tente de tuer le Lit de la mort en le poignardant; ses mains s'enfoncent dans le matelas et quand il les ressort, elles sont squelettiques;

finalement:

• une femme est couchée sur le fameux lit, de la mousse orange apparaît et le lit s'empare de la chaîne bon marché qu'elle porte dans le cou et, en faisant des allers-retours, parvient à lui trancher la tête.

Intrigue inexistante, effets spéciaux risibles et jeu des comédiens déficient, c'est le trio qu'il faut pour rendre heureuse la fan de films psychotroniques que je suis!

Parlant des acteurs, c'est sans contredit la pomme qui offre la meilleure prestation.

Alexandre, pendant le générique de la fin, avait le regard fixé sur la télévision, la bouche entrouverte et une de ses paupières frétillait.

– Alex?

Pour le sortir de son état catatonique, il a fallu que je le gifle à plusieurs reprises en lui criant: «On dit UN trampoline, pas UNE trampoline!»

Pas sûre qu'il a apprécié l'expérience (je parle du film, pas des baffes).

– Qu'est-ce que je viens de regarder?

– Un très mauvais film. À ce point minable, c'est rare. Ça ne va t'arriver qu'une seule fois dans ta vie et c'est avec moi que tu l'auras vécu.

– J'aimerais bien vivre autre chose avec toi.

Dans ma tête, ça a déclenché le système d'urgence des gicleurs.

(…)

C'est l'heure d'aller souper.

Miam, miam, c'est Fred qui a préparé le repas, j'ai bien hâte de déguster ce qu'il m'a concocté.

(Pourquoi ça sent les cheveux brûlés dans la maison?!)

Une des glandes dans ma tête

Namxox

> ### > La zon'a, maladie de l'amour

Je ne sais pas ce que j'ai mangé pour souper.

C'est Fred qui l'a préparé et c'était vert et bleu avec un peu de brun.

Quand j'ai planté ma fourchette dedans, ça a comme dégonflé et dégagé une fumée violette.

Comme j'avais trop faim, j'ai bouché mon nez et j'ai tout avalé en buvant de nombreuses gorgées de lait.

Pour l'instant, à part mon toutou souris bleue qui se tape la fesse d'une main et qui fait semblant de tourner un lasso au-dessus de sa tête en criant « Hi, ha, cowboy ! », tout va bien.

(...)

J'ai déjà écrit quelques mots à propos de ce que les anglophones appellent la *friend zone*, cette dimension frustrante où, dans une relation d'amitié, l'un est amoureux et l'autre pas.

J'ai appelé ça la « zone amitié », mais comme je suis une adolescente rebelle et créative, un peu *funky* et très *jazzy* (?!), j'ai créé un diminutif : la zon'a.

Ce qui m'amène à poser LA question non résolue depuis 65 millions d'années – non, il ne s'agit pas de : « Comment les tyrannosaures faisaient pour s'épiler les sourcils ? » (Ah ! Ah ! Ils ont des p'tits bras !) –, mais bien des : « Un garçon et une fille hétérosexuels peuvent-ils être amis ? »

(ATTENTION, ATTENTION, on me souffle à l'oreille que des archéologues viennent de faire une découverte majeure qui met fin à des interrogations : les tyrannosaures, je répète, les tyrannosaures avaient recours à des esthéticiennes afin de réduire l'épaisseur de leurs sourcils et de rendre leur ligne mieux définie et plus harmonieuse. Un mystère multimillénaire vient enfin d'être résolu !)

Je spécifie « hétéro » parce que selon certains magazines féminins que j'ai lus, paraît que la relation d'amitié la plus satisfaisante qu'une fille peut avoir est avec un homosexuel.

Je ne peux pas savoir, je n'ai pas d'ami gai. Mais j'en ai demandé un pour Noël prochain ; les lutins sont sûrement en train d'en emballer un dans leur fabrique magique.

Je pourrais aussi en dénicher un à l'école.

Leur orientation sexuelle n'est pas écrite sur leur front, bien entendu, mais ils sont assez faciles à reconnaître : ils ont du goût, ils sentent bon, ils sont toujours bien habillés et ils remarquent quand une fille s'est fait couper le toupet.

Je me vois mal cependant approcher un gars que je crois homosexuel et lui demander s'il veut venir jouer au parc avec moi ou m'aider à détruire un nid de fourmis à coups de pied.

Ça manque de naturel et franchement, à mon âge, c'est assez troublant d'éprouver du plaisir à briser les maisons des fourmis.

Gnac, gnac, gnac.

Ouverture d'une parenthèse

Les homosexuels ne s'affichent évidemment pas ouvertement *because* il existe des crétins qui pourraient se sentir menacés dans leur masculinité et qui, au lieu de faire une remise en question en s'interrogeant sur leur orientation sexuelle, vont les harceler/humilier/ridiculiser parce que c'est le raccourci le plus facile à prendre.

Tsé, c'est tellement brave de s'attaquer aux plus vulnérables que soi.

À l'école, la pire des *bitcheries* qu'on peut dire à propos de quelqu'un est qu'elle est lesbienne ou qu'il est homosexuel.

(Dans le cas de Kim et de sa blonde, j'imagine que les traiter d'hétéros est la chose la plus blessante possible!)

Parlant d'elles, elles marchent à l'école main dans la main. Au début, elles faisaient tourner les têtes, mais plus maintenant.

Sauf peut-être quand, pendant l'heure du dîner, elles se couchent sur une table et commencent à s'embrasser langoureusement.

À ce moment, il y a quelques réactions, surtout de la part des élèves qui voient leur lunch *écrapouti* par les deux amoureuses.

Zoukini !

Bref, honte à vous, les homophobes ! Évoluez, hommes et femmes des cavernes, c'est un ordre !

Fermeture de la parenthèse

Si tu le veux bien, public en délire, revenons à Alexandre et la zon'a.

Comme je disais, Alexandre est un gars formidable, mis à part le fait qu'il me remercie beaucoup trop souvent «pour (ma) collaboration».

Je ris avec lui, je déconne et je peux lui imposer mes films d'horreur nuls sans qu'il s'objecte.

MAIS... je n'éprouve aucun sentiment amoureux pour lui.

En clair, je ne le trouve pas attirant. Je n'ai pas le réflexe de vomir quand je le vois, bien entendu. Il n'est pas repoussant. Il ne fait juste pas danser la polka à mes hormones ni le twist (comme les chiens qui sont mouillés) à certaines de mes glandes.

Je ne rêve pas de l'embrasser et quand il me touche (involontairement), je ne fais pas de délire fiévreux.

Mathieu, même après tout ce qui s'est passé, me fait fondre comme un Popsicle dans un incinérateur quand je pense trop fort à lui et à sa peau et à ses lèvres et à ma langue qui valse avec la sienne et a ses mains sur mon ventre et mes hanches.

Trois personnes me font cet effet dans la vie : Mathieu, évidemment, Gaston le chauffeur d'autobus et Moumou sa moustache – oui, c'est une personne ! – qui, en raison de son épaisseur, de sa densité et des morceaux de nourriture qui collent à ses poils et qu'elle préserve comme dans un musée, atteint des summums de virilité. 🙁

Moumou, pour toi, je serais prête à tout, y compris ne plus m'épiler pour que tu ne te sentes pas seule. S'il le faut, nous allons créer une communauté avec son propre quartier, ses fêtes annuelles et ses traditions débiles.

(Ce délire était une présentation du Centre de soins de santé *Velue comme un ours*. Comme le dit notre slogan, nous, les *pouèles*, ça ne nous fait pas peur !)

Alexandre a les deux pieds dans ma zon'a.

Il ne se passera jamais rien de *boogie-woogie* entre nous deux.

Et s'il m'avoue qu'il m'aime, ça va devenir bizarre et je vais me sentir mal quand je vais être avec lui.

En même temps, je ne veux pas le blesser en lui disant : « T'es une bonne personne, Alex, t'es gentil, sympathique et poli, j'aime passer du temps avec toi, mais on n'aura jamais de bébé ensemble, donc tu peux retourner au magasin le lit d'enfant, les couches et la pompe pour aspirer la morve du nez des bébés enrhumés. »

Après le film qu'on a regardé ensemble hier, il a déclenché mes gicleurs en me disant qu'il aimerait « vivre autre chose » avec moi.

Pendant que j'essayais d'empêcher l'eau de sortir de mon nez, de ma bouche et de mes oreilles pour éteindre l'incendie du malentendu entre lui et moi, je me suis creusé les méninges pour dénicher une réplique du tonnerre digne de l'être humain allumé (c'est le cas de le dire) que je suis.

Finalement, j'ai ri niaiseusement.

Tellement « allumée », la fille.

(...)

Je me trompe peut-être, mais il me semble que les gars sont plus souvent dans la zon'a que les filles.

Pourquoi ? Aucune idée.

Peut-être que c'est parce qu'ils expriment moins leurs émotions ?

Peut-être que c'est parce qu'ils ont plus peur de se montrer vulnérables ?

Peut-être qu'il n'y a pas de bonne réponse parce que ce sont des gars, ce qui signifie qu'on doit accepter leurs comportements irrationnels ? 😎

Le paradoxe avec la zon'a, c'est qu'il s'agit d'un lieu attirant, mais hautement désagréable.

Le gars aime être avec la fille parce qu'elle lui plaît, elle comble un de ses besoins, mais chaque seconde passée avec elle est une torture.

Ce serait comme si j'avais une super envie de pipi et que le seul endroit où je puisse me soulager serait la seule toilette chimique bleue super achalandée d'une cabane à sucre.

Hum…

Je suis *presque* fière de cette comparaison boiteuse qui pourrait rendre jaloux un unijambiste.

(…)

Que le grand crique me croque, qu'est-ce qui se passe ?!

* *

Pin-pon! Pin-pon!

Un incendie se déclare au bureau, c'est la panique, les crieurs crient et les sauteurs sautent (par la fenêtre)? Afin de rendre ce moment stressant plus agréable, nous offrons une alternative à l'eau pour vos gicleurs. Que ce soit de la boisson gazeuse, de la boisson énergisante ou de la bière, jamais vous n'aurez vécu un brasier aussi agréable. Aux amateurs de sensations fortes, nous conseillons l'essence. Pourquoi ne pas vous désaltérer et vous divertir en attendant la venue des pompiers?

www.kaboom.com

* *

Tu peux bien sourire,
démon !

Namxox

> **Un peu comme de la neige, mais vivante**

Schnoute de *schnoute*.

Je viens de faire une gaffe monumentale et spectaculaire.

Y'a que moi pour réaliser ce genre d'exploit.

J'ai eu beau retourner la situation de tous les bords et de tous les côtés, je ne peux pas blâmer Fred.

J'ai essayé, pourtant!

J'ai des années d'expérience, je suis une experte dans cette matière.

À l'aide de mon esprit tordu, j'arrive presque toujours à faire porter en partie la faute à mon grand frère quand je fais une bévue.

Mais là, je dois m'y résoudre, je suis la seule et unique responsable du tsunami qui a ravagé (j'exagère à peine) notre maison.

(…)

Depuis que Mom nous a abandonnés (oui, oui, nous, ses propres enfants) pour aller se faire soigner à l'hôpital, un phénomène bizarre s'est produit: les tâches ménagères ont arrêté de se faire.

Avant, quand un vêtement sale se retrouvait au panier, il réapparaissait comme par magie 20 heures plus tard dans un tiroir de ma commode, plié et sentant bon le champ de lavande après une ondée un après-midi d'été en Provence.

Avant, quand les assiettes et ustensiles souillés traînaient dans l'évier de la cuisine, ils se rendaient comme par magie dans le lave-vaisselle, se faisaient décrotter à coups de jets d'eau puissants, puis réintégraient les armoires en se tenant les hanches et en se dandinant les fesses sur un air de bonga.

Avant, quand les planchers étaient sales et les tapis recouverts de charpies ou de morceaux de nourriture que la bouche de Fred n'avait pas pu attraper, le tout était avalé, comme par magie, par une machine qui fait beaucoup de bruit et qui ressemble à un éléphant, mais sans les oreilles, ni la p'tite queue grise, ni cet amour profond pour les cacahuètes.

J'ignore ce qui se passe quand Fred va à la salle de bains (et je ne veux pas le savoir), mais une fois qu'il a terminé, le miroir est toujours sale. Genre *vraiment* sale. Gel pour les cheveux, eau, mousse à barbe, dentifrice (je pense que Fred combat le tube furieusement tous les matins, comme s'il était aux prises avec un anaconda; il pousse des cris, il grogne, il se jette par terre; mon frère est un guerrier) et même de la sauce tomate (celle-là, je ne la comprends toujours pas; et non, ce n'était pas du sang, j'y ai goûté, ark!), aucune substance ne me surprend. C'est sûr que s'il y avait de l'huile à moteur, je me poserais des questions... Cela étant dit, quand Mom était là, le miroir semblait autonettoyant. Il ne l'est pas. Je n'arrive plus à me voir dedans, je dois me regarder dans le reflet du robinet; ça me fait une tête d'asperge et je ris chaque fois.

Environ 95,7 % des trucs que Youki mon p'tit chien d'amooour se met dans la gueule et avale n'est pas comestible. Et 73,3 % du temps, il les vomit et ignore ce qu'il a restitué sous forme de bouillie visqueuse. C'est quoi, ces manières?! Comme si je me mettais à vomir partout (surtout là où il ne faut pas, comme sur les tapis, dans les marches et à l'intérieur du réfrigérateur) et que je ne ramassais pas mes dégâts. Quand Mom était à la maison, je fuyais dès que j'entendais Youki faire des bruits de gorge étranges. Quand je sortais de mon matelas (*best* cachette *ever*, même si les ressorts sont quelque peu inhospitaliers), il n'y avait aucune trace de l'expulsion, hormis une légère odeur de sucs gastriques. Magie!

Je sais que je t'en ai déjà touché un mot, public en délire, mais la poubelle est un sujet de discorde permanent entre Fred, moi et les bestioles – auxquelles elle sert de nid – qui viennent troubler notre sommeil et qui prennent possession de la télécommande de la télévision quand on la regarde; je suis tannée du Canal bébittes et de ses émissions débiles de télé-réalité comme *L'incroyable famille Bousier*, *Pimp mes antennes* et *16 heures et enceinte*. Avant, le sac de poubelles n'était jamais plein au point de déborder jusque dans la rue. On n'arrivait jamais à le remplir. JAMAIS! Mais depuis que Mom est à l'hôpital, il est TOUJOURS plein. Quand je chiale (moins fatigant que de changer le sac), mon frère dit qu'il reste de la place. Où ça?! Dans sa bouche?!

Mom, reviens, c'est un ordre!

(…)

Je ne veux pas donner l'impression que Pop ne participe pas aux tâches ménagères; il en fait.

Mais parce qu'il est toujours à l'hôpital ou en train de se saouler (beurk), Fred et moi devons prendre la relève.

Tintin aussi aide: en minijupe et un pompon dans chaque main, il danse en hurlant un mélange de *death metal* et de *punk hardcore*.

(…)

Ma gaffe, maintenant.

J'ai été nommée directrice du département de l'hygiène des tissus mobiles. Bref, je m'occupe du lavage.

Fred était intéressé par ce poste hautement prestigieux, mais j'ai insisté pour l'avoir.

Je ne veux juste pas qu'il touche/regarde/sente (?)/goûte (??)/écoute (???) mes sous-vêtements.

Juste d'y penser, j'en frissonne! 🙂

Moins que lorsque je sors les boxers de mon frère du panier de vêtements sales, mais quand même.

(J'ai enfin trouvé un moyen de les manipuler sans vomir un peu dans ma bouche: je recouvre mon corps de sacs à ordures, je protège mes yeux avec des lunettes de ski et mes mains avec des gants jaunes en caoutchouc et, à l'aide du sécateur à long manche de

Pop, je transporte les produits dangereux sans risquer de me faire mordre et/ou projeter du venin par eux.)

Parce qu'il ne restait plus de détergent, il a fallu que je trouve vite une solution.

«Vite» parce que je n'avais plus un morceau à me mettre. C'était urgent, sinon il aurait fallu que je me fasse un pantalon avec les rideaux du salon et un chandail avec le tapis de la salle de bains.

Je suis partie à la recherche d'un produit équivalent au détergent à lessive.

J'en ai trouvé un qui avait des propriétés similaires : un liquide délogeant graisses et saletés, donc un tensioactif essentiellement fait de carboxylates de sodium et d'acide sulfonique de benzène alkylique linéaire (ça me rappelle l'époque où j'étais chimiste pour un laboratoire illégal de désinfectant à mains).

Bref, j'ai utilisé du liquide à vaisselle.

Ça ne me dérangeait pas trop de sentir le citron parce que c'est un anticancer naturel et une excellente source de vitamines.

Sans blague, je me trouvais géniale.

Je me suis dit : pourquoi tout le monde ne fait pas ça ? C'est moins cher que du détergent à lessive et ça fait le même travail.

Au début, je n'en ai pas mis beaucoup.

Puis j'ai douté ; je me suis dit que ce n'était pas aussi puissant que le détergent à vêtements, fallait que je sois généreuse.

Je sais pas vraiment quelle quantité j'ai mis, je suis une fille bonne et altruiste, mais la bouteille était presque vide à la fin. 😳

J'ai tourné la roulette jusqu'à «eau chaude» et j'ai appuyé sur le bouton de démarrage.

Yé!

Sauf qu'une demi-heure plus tard, de la mousse est apparue sous la porte de ma chambre.

Je pensais que c'était une mauvaise blague de Fred.

Pas du tout.

De la mousse, il y en avait partout.

Pour donner une idée de l'ampleur du dégât et de la vigueur de la mousse, la laveuse est au rez-de-chaussée.

Ma chambre est au deuxième étage.

La mousse a GRIMPÉ LES MARCHES.

Est-ce que j'ai capoté? À peine.

Au début, je suis restée silencieuse, simplement parce que j'étais ébahie.

«*Cool*», je me suis dit. Y'a des nuages dans la maison.

Puis j'ai assemblé toutes mes connaissances, j'ai fait des liens, j'ai émis des hypothèses de travail et quand je suis enfin parvenue à une conclusion plausible, je me suis mise à hurler!

– Phoooque!

Tintin est sorti de sa chambre et a constaté l'invasion blanche.

– Oh non, il a dit en se mettant les mains sur la tête, Youki a la rage!

– Non, j'ai répliqué. C'est la laveuse.

– La laveuse a la rage?! C'est le début de l'Électroménagers Apocalypse!

Tintin s'est précipité dans sa chambre et en est ressorti quelques instants plus tard.

C'est à ce moment que la situation est devenue *weird* (parce qu'elle ne l'était pas encore).

(…)

Pop vient d'entrer dans la maison!

Je dois lui expliquer ce qui s'est passé et pourquoi la moitié de la maison est recouverte d'une pellicule visqueuse qui sent l'agrume.

Et pourquoi l'aspirateur est brisé.

Et pourquoi il manque des rideaux.

Et pourquoi la planche à repasser est défoncée.

Et pourquoi Grand-Papi est inconscient sur le sol, la tête dans une flaque de sang et le cœur percé d'un panneau ARRÊT.

Mais nooon, je niaiiise.

Publié le **2** février à 6 h 10
Humeur: vannée

> **Pire que ce que je croyais**

Ça commence bien la semaine: je suis fatiguée et y'a même pas une demi-heure de faite. Pas hâte de voir de quoi je vais avoir l'air vendredi, si je m'y rends, bien entendu.

Le pire? Je me suis réveillée avant mon réveille-matin, genre deux minutes.

À ce moment, j'aurais dû prendre les 120 secondes restantes pour me reposer.

Mais je me sentais tellement en forme que j'ai bondi hors de mon lit, j'ai fait 100 pompes, 200 redressements assis et j'ai soulevé à quelques reprises mon bureau (entre 500 et 1000 fois, pas clair, je n'avais pas encore bu mon premier café constitué de graines que j'ai moi-même cueillies en Éthiopie, torréfiées avec mon haleine du matin et broyées avec mon regard *sexy*).

D'accord, d'accord, il a fallu que je sorte du lit parce que j'avais trop envie de pipi.

Moins héroïque, mais tellement plus authentique.

(…)

Hier soir, quand Pop est entré dans la maison, j'ai tout de suite remarqué qu'il avait bu.

Sa démarche, sa manière de me regarder, la façon dont il a (difficilement) retiré ses bottes, tout son corps criait : « J'AI LES ÉMOTIONS ENGOURDIES, LA, LA, LA, LÈRE ! »

Je ne pouvais pas me fâcher parce qu'il fallait que je lui apprenne que la maison avait été le théâtre d'un phénomène rare et fascinant : une invasion de mousse de détergent à vaisselle.

Et que, malgré les efforts surhumains (oui !) que j'avais déployés, je n'étais pas parvenue à éliminer toute trace de cette attaque vicieuse et, surtout, visqueuse. ☹

La mousse, elle ne reste pas éternellement mousse.

Lentement, elle s'aplatit et toutes les bulles fusionnent pour créer un film invisible sur le sol.

Invisible ne veut pas dire inexistant.

Partout où il y avait eu de la mousse, c'était collant, comme si elle s'était transformée en ninja, maître de la dissimulation.

Elle s'est fondue dans le décor.

Au moins, quand on est proche d'elle, elle ne bondit pas de l'ombre pour nous lancer des *shurikens* (sympathiques étoiles aux pointes tranchantes comme des lames de rasoir).

Yé ! Enfin quelque chose de positif !

Transparent, le film sur le plancher, mais pourtant prêt à embêter quiconque met le pied dessus.

Mon frère est d'ailleurs coincé depuis hier soir, les pieds scotchés aux marches. Pour qu'il arrête de demander de l'aide afin qu'on le dégage et qu'il laisse dormir la famille, il a fallu que je lui lance un verre d'eau froide.

Fatigant!

Je lui ai aussi promis de jouer avec lui aux gros camions s'il était gentil.

À l'école, personne ne regarde; j'aime ça faire des «Vroum! Vroum!» en faisant bouger mon efface sur mon bureau et en la faisant entrer en collision avec mon étui à crayons, mon pot de colle et la tête de l'élève assis devant moi.

Ça fait des accidents tellement spectaculaires!

Gnac, gnac, gnac!

(…)

Hier soir, j'ai expliqué rapidement à Pop ce qui s'était passé pendant son absence.

Lorsque j'ai eu terminé, il a ricané, a assuré que ce n'était pas grave et qu'il allait tout nettoyer après sa nuit de sommeil.

Problème: c'est impossible à retirer!

Plus on essuie la pellicule transparente avec un torchon mouillé, plus ça se répand et plus ça fait des bulles.

Comme si on ressuscitait les morts.

Parlant de ça...

Retournons en arrière, si tu le veux bien, très cher public en délire.

Tintin sort de sa chambre, il croit que Youki a la rage en voyant toute cette mousse (*ouatedephoque*?), je lui apprends que c'est plutôt la faute de la laveuse, il entre dans sa chambre, en ressort quelques instants plus tard avec deux raquettes de badminton, une (grosse) boucle dans les cheveux et des palmes aux pieds.

Je me suis arrêtée pour lui demander :

– *Kesses-tu* fais là ?

– Je te l'ai dit, c'est l'Électroménagers Apocalypse ! Arghhh !

Avec ses raquettes, il s'est mis à attaquer sauvagement la mousse en poussant des grognements troublants.

Je sais qu'une explication serait la bienvenue, la voici donc :

❖ Il y a la Neige Apocalypse : c'est quand il tombe des averses de flocons si intenses que l'école sera fermée pour trois ans.

❖ Il y a la Devoirs Apocalypse : c'est quand les profs se mettent tous d'accord pour nous donner des tonnes de travaux qu'on doit accomplir tellement rapidement qu'on fait saigner nos doigts (oui, oui).

❖ Il y a la Zombies Apocalypse : c'est le moment où les morts vont se réveiller et se mettre à manger le cerveau des vivants.

✤ Il y a la Crétins Apocalypse : ça, c'est ce qui se passe dans ma classe quand un gars ouvre la bouche, qu'il dit une niaiserie et que les autres suivent avec d'autres niaiseries.

✤ Et il y a l'Électroménagers Apocalypse : c'est quand les cuisinières, réfrigérateurs et lave-vaisselles vont se révolter contre l'esclavage que leur fait subir l'être humain depuis plus de 75 ans.

Selon Tintin, cette apocalypse sera sanglante.

Au début, les gens vont se coincer les mains dans les fentes de leur grille-pain, les cafetières vont pisser de l'eau chaude au visage de leur maître et les hottes des cuisinières vont aspirer les cheveux, barbes et poils des utilisateurs.

Après, la situation va dégénérer : on va retrouver des gens morts dans les congélateurs avec un vieux Mr Freeze à l'orange dans la bouche et des enfants seront emprisonnés dans des sécheuses et tourbillonneront sans feuille d'assouplissant, soumis à une mort lente à l'électricité statique.

L'horreur, l'horreur !

Quant à eux, les téléviseurs vont continuellement diffuser – et à toutes les chaînes – des débats parlementaires entrecoupés par la même pub de margarine faible en gras hydrogénés qu'une dame dévore à la cuillère en pleine nuit.

Oh oui, mon Gino, ce sera horrible.

(…)

L'attaque barbare menée par Tintin à l'aide de raquettes de badminton, d'une boucle dans les cheveux et de palmes aux pieds n'a rien donné, à part faire jaillir la mousse.

Parce que Tintin a commencé à divaguer (il blâmait la mousse de n'avoir pas passé assez de temps avec lui dans son bain quand il était petit et de n'avoir jamais assisté à un de ses matchs de patinage artistique extrême – je vous ai dit qu'il avait divagué?), il a fallu que je le remette dans le droit chemin en lui flanquant quelques baffes – j'aime ça, gifler les gens, surtout quand ils ne s'y attendent pas du tout.

Tel une exploratrice intrépide dans une dense forêt, je me suis frayé un chemin vers la source du débordement. Ne manquait que la machette, un bandeau dans mes cheveux, des serpents venimeux et Tarzan.

La laveuse expulsait à un rythme régulier une mousse dense par l'ouverture qui sert à déposer le détergent.

Dans le fond, c'est un peu comme si elle avait une indigestion.

Même après avoir appuyé sur le bouton Arrêt, elle expulsait toujours une quantité considérable de substance blanche et bulleuse.

J'ai alors eu la brillante idée d'ouvrir la porte de la laveuse frontale.

Ça a fait comme si je venais de brasser une bouteille de boisson gazeuse et que j'avais retiré le bouchon tout de suite après : un pssssh! a précédé une explosion liquide.

Mon frère, qui était en train de salir le miroir de la salle de bains de manière créative, est sorti et a émis un commentaire qui, à mon sens, reflète parfaitement son grand sens de l'observation :

– Il se passe quelque chose d'étrange dans la demeure.

– C'est l'Électroménagers Apocalypse! s'est écrié Tintin.

Fred a eu un moment de frayeur :

– Quoi? Pas déjà?!

(Il semblait que j'étais la seule à ne pas connaître l'existence de ce cataclysme qui planait sur nos vies.)

– Mais non, j'ai dit, tout est sous contrôle.

– Vraiment? Comment as-tu fait? A-t-il fallu que tu en viennes aux poings avec le monstre de métal? As-tu broyé son moteur avec tes dents?

– Nan, j'ai appuyé sur le bouton Arrêt.

– Ah! Tu as donc trouvé la faille!

– Hum... J'imagine que oui. On peut débrancher le fil électrique, c'est aussi efficace.

Tintin a fait les gros yeux.

– T'es tellement... T'es tellement géniale. Jamais je n'aurais pensé à ça.

– Ouais, bon. Géniale pour l'Électroménagers Apocalypse peut-être, mais pas pour faire le lavage. Faut vraiment trouver le moyen de se débarrasser de cette mousse. Comment on pourrait faire ?

Fred a levé un doigt.

– Je sais !

Il a plongé dans la mousse puis, quelques instants plus tard, j'ai entendu un bruit métallique.

Fred m'a appelée.

Il était dans la salle de lavage.

Debout, en équilibre sur la planche à repasser.

– J'ai trouvé le moyen !

– Rapport ?! J'ai dit qu'il fallait se débarrasser de la mousse, pas surfer dessus !

– Non, t'as dit qu'il fallait trouver un moyen pour surfer dessus.

– Mais non, pourquoi j'aurais dit ça ?

– Je ne veux pas te contredire, a continué Tintin en replaçant la boucle qu'il avait dans les cheveux, mais je t'ai bel et bien entendu dire qu'il fallait trouver un moyen pour surfer sur la mousse.

– Les gars, vous me faites capoter. Pourquoi je voudrais surfer sur la mousse ? Pourquoi ?!

– Je sais pas, a répliqué Fred. T'as de ces idées bizarres des fois...

– Quoi ?! T'es le roi des idées *weird* !

– Ben là, le roi... C'est un peu fort. Je dirais plus le seigneur.

Pour avoir émis cette bêtise, Fred a été puni par le Destin : la planche à repasser a cédé sous son poids et mon frère est disparu dans la mousse.

(…)

Argh ! Je n'avais pas vu l'heure, l'école commence bientôt !

Publié le 2 février à 12 h 30
Humeur : furax

> **La garce!**

Le journal de Valentine, la blonde de mon ex, est disponible depuis ce matin.

Et je suis FU-RI-EUSE.

J'ai rarement été autant hors de moi.

À l'arrêt d'autobus, ce matin, Kim m'a demandé si je l'avais vu.

– Non. Et ça ne m'intéresse pas du tout.

C'est bien entendu un mensonge : j'avais l'intention de le décortiquer dès que possible pour le comparer au mien, et pour fort probablement me trouver *full hot* parce que mon journal est sûrement meilleur que le sien.

– Je pense qu'elle parle de toi, a insisté Kim, embarrassée.

– De moi? Pour dire quoi?

– Eh bien, elle ne te nomme pas. Mais, euh, c'est tout comme.

Le ton qu'employait ma meilleure amie, combiné aux traits désolés de son visage m'ont alarmée.

– Comment ça?

Kim a sorti son téléphone intelligent.

– Elle a publié le lien sur mon mur et j'ai téléchargé le document avant de partir. J'ai juste eu le temps de lire le premier article.

Trois glissements de doigt plus tard, elle m'a montré la page couverture.

Parce qu'il faisait trop soleil, j'ai pris l'appareil et je l'ai approché de mes yeux.

Ce que j'ai vu m'a fait dresser les poils du nez.

En première page, il était écrit :

« TÉMOIGNAGE D'UNE ÉTUDIANTE

Je suis amoureuse de mon prof de français...

Encore plus de révélations scandaleuses

en pages 2 et 3 ! »

Tout ce que j'avais dit à Valentine du temps où j'étais son amie au sujet des émotions que j'éprouvais à l'égard de monsieur Patrick s'y trouvait.

Tout. 😔

C'était de la haute trahison !

C'est une chose de répandre des rumeurs, c'en est une autre de les écrire dans un journal destiné à des centaines d'élèves !

Valentine ne me nomme pas, mais quelqu'un qui me connaît et qui a le moindrement de jugeote va faire le lien.

Elle fait comme si je m'étais confiée à elle, la grande journaliste d'enquête (pfff !).

Je me serais effondrée bien longtemps avant.

Je retourne en classe.

* *

Cobayes recherchés

Nous sommes une compagnie pharmaceutique qui
développe des antidotes aux venins. Il s'agirait
pour le candidat de passer une nuit dans un local
obscur avec un mamba noir, un serpent de quatre
mètres dont la morsure peut entrainer une salivation
extrême, des clignements d'yeux intempestifs et
une paralysie des muscles, y compris ceux qui font
en sorte que vous ne vous soulagez pas partout
et n'importe quand. Qu'attendez-vous pour aider
la science et dérider de pauvres scientifiques
enfermés toute la journée dans des laboratoires
exigus? En retour, on vous donne une poignée de
pilules qu'on sait même pus à quoi elles servent.

www.venintellementpuissantquunedosepeuttuer40hommes.com

* *

Quand le père Noël
célèbre l'Ukraine

> **Discussion au sommet**

Aïe, aïe, aïe.

Il a fallu que Pop engage une compagnie d'après-sinistre pour nettoyer les planchers.

J'ai vu la facture sur le comptoir de la cuisine; ça a coûté plus de 200 dollars.

En plus, il a fallu qu'il appelle le réparateur de laveuse pour nettoyer l'intérieur qui était encrassé.

Cette fois, Pop a reçu une facture de 160 dollars.

Est-ce que je me sens mal?

Car 364 dollars pour ma gaffe, plus les taxes, ça donne 400 dollars.

C'est plus de 80 heures à garder les frères Max.

C'est trois jours complets plus quatre heures.

Pop ne va pas me faire payer, c'est sûr. Mais ça me fait réaliser que mon «idée géniale» a coûté cher.

Le pire, c'est que je pensais *vraiment* que ça allait fonctionner.

(…)

Avant la dernière période, monsieur Patrick m'a croisée dans le corridor et m'a demandé de le suivre dans un local.

Il n'est pas passé par quatre chemins et m'a demandé :

– C'est toi la fille amoureuse de son prof de français?

Il a fallu, encore une fois, que je fasse appel à mes grands talents de comédienne.

– De quoi parlez-vous?

– Le journal de Valentine...

Je me suis empressée de dire :

– Je ne l'ai pas lu.

– Eh bien, il y a une élève qui lui aurait confié être amoureuse d'un prof. J'ai pensé que c'était toi.

– Ah, oui, c'est moi. J'allais justement vous faire une déclaration d'amour. Vous êtes l'homme de ma vie ! Allez, partons sur les routes à la rencontre d'aventures envoûtantes dans le véhicule de la passion alimenté par l'essence du désir.

Gros malaise. Format mammouth, genre.

J'allais lui dire que je ne savais pas qui c'était quand mon cerveau m'a joué un tour.

– Je blague. Mais oui, c'est moi. À 75 %, mettons.

Monsieur Patrick a levé un sourcil d'incrédulité.

– Vraiment?

– Ouais, j'ai fait en baissant les yeux vers le plancher.

– Wow. Je... Je ne m'attendais pas à ça.

– Moi non plus. J'allais vous mentir, mais mon cerveau a comme bogué. La prochaine mise à jour devrait régler le problème.

– Eh bien, euh, je... il a balbutié en regardant ailleurs. Je te suis reconnaissant de ton honnêteté. Mais bon, euh, tu comprends que...

– Oui, oui, je comprends qu'il ne se passera jamais rien. De toute façon, c'est fini, c'était un *trip* d'ado immature. Vous me répugnez, maintenant. Penser à vous me donne des boutons sur la langue. Je peux partir?

Je n'attends pas l'autorisation et je fonce vers la porte. Je fais un pas dans le corridor, m'arrête et rebrousse chemin.

– Et, euh, les pulsions sexuelles incontrôlables et le truc du danger public, ça fait partie du 25 % des inventions de Valentine. Et les gestes regrettables, je risque de les poser quand je vais mettre la main sur elle.

Je me suis dirigée vers mon casier en me demandant ce qui venait de se passer.

Je ne le sais toujours pas, d'ailleurs.

(...)

Ai-je besoin d'écrire que les ressources de mon cerveau sont actuellement consacrées à déterminer comment je vais réagir la prochaine fois que je vais voir monsieur Patrick?

Ai-je besoin d'écrire que l'honnêteté brute n'est pas toujours recommandée? Des fois, un petit mensonge tout mignon est la meilleure des solutions.

Oui, mentir a du bon, surtout pour éviter des situations gênantes.

Je viens de comprendre pourquoi on dit que mentir est essentiel en société.

Et que sans le mensonge, la vie de couple ne durerait pas !

C'est quoi, cette vie ?! Grandir, est-ce que ce serait essentiellement apprendre à bien mentir ?

En conclusion, je dois me résoudre à mentir plus souvent pour le bien de ma réputation et de mon équilibre mental.

À partir de maintenant, je vais noter chacun de mes mensonges pour voir si travestir la réalité est si nécessaire que ça.

(…)

J'ai un peu de temps avant le souper (qui est préparé ce soir par Tintin), alors finissons-en avec cette histoire d'agression à la mousse provoquée par une laveuse mesquine (et une utilisatrice naïve).

Après m'avoir accusée de vouloir surfer sur la mousse (*WTF*?), Fred et Tintin ont pensé fort, fort, fort à une manière d'évacuer le tout. On s'est dit que la solution devait respecter trois conditions :

✤ Notre intégrité physique ne devait pas être menacée (donc ça excluait, entre autres, la méthode controversée mais ô combien amusante du lance-flamme).

✤ Le toit de la maison ne devait pas être arraché (donc ça excluait, entre autres, l'implication d'une tornade et, malheureusement, un voyage au pays du magicien d'Oz).

❖ Aucune espèce animale ou végétale ne devait disparaître (donc ça excluait, entre autres, une pluie de météorites).

– Je l'ai ! a dit Fred, après avoir mis de la mousse sur le bas de son visage et demandé si on avait l'impression qu'il avait une vraie barbe (nooon !).

– Quoi ? a demandé Tintin.

Fred s'est dirigé vers la porte.

– C'est une surprise !

J'ai vertement protesté :

– Non, non, non, pas de surprise. Qu'est-ce que tu vas faire ?

– Tu vas voir.

Je me suis jetée sur lui et je lui ai presque arraché le bras pour le frapper avec.

– Pas de surprise, Fred.

Il a donné un coup d'épaule pour se libérer de mon emprise.

– Fais-moi confiance.

– Non. Ça finit toujours mal quand t'as une idée.

– Elle est géniale, cette fois.

– Tes idées sont toujours géniales, Fred. Et ça finit toujours mal.

– C'est faux, il a répliqué, offusqué. La fois que j'ai utilisé ma brosse à dents pour me gratter le dos, il ne s'est rien passé.

– C'est pas une idée géniale, ça. Les singes font la même chose !

Il a croisé les bras.

– Ouais, ben c'est ça, je veux t'aider à réparer la méga grosse gaffe que tu as faite et qui va peut-être faire mourir maman plus rapidement, et tu ne veux pas. Sèche.

– Faire mourir maman plus rapidement ? T'es pas un peu manipulateur ?

Tintin me regardait comme si j'étais la plus méchante des bourreaux tandis que je voyais l'estime de Fred s'évaporer par les oreilles.

– O.K., vas-y avec ton idée géniale.

– *Yeah* ! il s'est exclamé. Puis il a fait un *gimme five* à Tintin et il a commencé à danser comme les Russes ; il s'est accroupi, s'est croisé les bras sur la poitrine et a étendu une jambe après l'autre en criant « Hé ! » ; dans la mousse, c'était de toute beauté.

(Fascinée par la manière de bouger limpide et folklorique de mon frère, j'ai effectué une recherche sur les internettes et sa danse n'est pas russe, mais bien ukrainienne, et s'appelle le *kazatchok* ; c'est fou comme mon frère me fait voyager, des fois, avec sa grande culture de l'Autre.)

Bref, mon Fred quitte les lieux et on l'entend quelques secondes plus tard ouvrir la porte du garage.

Mon frère dans le garage de mon père, ce n'est pas une bonne idée. Les dernières fois qu'il est allé y faire un périple, il est sorti avec :

❖ une scie pour frapper une mouche (la mouche rit encore de lui);

❖ une perceuse pour déloger un morceau de nourriture qu'il avait entre deux dents (le morceau de nourriture rit encore de lui);

❖ et la sableuse électrique pour couper un petit bout du sac de lait (personne ne rit parce que Pop lui a lancé un jouet de Youki avant la catastrophe et ça a fait «skouïïïque!» - mon frère, pas le jouet).

Dans le garage, il y a alors eu un bruit de moteur. Tintin et moi, on s'est regardés, apeurés, et on s'est précipités par les fenêtres qui se sont fracturées sous notre poids.

Quand Tintin s'est retourné, il avait un super gros morceau de vitre planté dans le ventre. Il m'a dit qu'il me léguait sa collection de sucre, il a fait «Arghhh» et il est mort avec la langue sortie.

ZOUKINI! 😖

C'est vrai qu'on a eu peur, Tintin et moi.

On s'est dirigés vers le garage et on a vu Fred tenter... de faire entrer la souffleuse à neige dans la maison!

J'ai posé les mains sur ma tête et j'ai crié:

– Noooon!

Le bruit du moteur a fait en sorte que Fred n'a rien entendu.

Tintin s'est approché de mon oreille:

– C'est une bonne idée, deux minutes et toute la mousse sera soufflée.

– Soufflée où?!

Les fois où j'ai vu Pop passer la souffleuse, il parvenait à projeter la neige des MÈTRES plus loin.

Si Fred passait la souffleuse dans la maison, je n'ose pas imaginer dans quel endroit incongru (les armoires de la cuisine? le nez de Grand-Papi?) on retrouverait la mousse.

Et la seule fois où j'avais vu Fred manipuler la souffleuse, il avait tout soufflé sur son passage : les fils électriques des lumières de Noël, un buisson et Roger, le nain de jardin (pauvre Ro!); bref, tout, sauf la neige!

Fred est le seul être au monde qui peut perdre le contrôle d'une souffleuse à neige.

Fred est le seul être au monde qui pourrait être arrêté et accusé de conduite dangereuse d'une machine qui crache de la neige!

Fred est le seul être au monde qui a eu l'idée de passer la souffleuse à neige dans une maison!

Pour lui faire comprendre que c'était une idée stupide, j'ai fait de grands signes à Fred qui tentait désespérément de faire grimper l'appareil sur les trois marches qui séparent la maison du garage.

En retour, il m'a fait des sourires de nigaud et a pointé ses pouces en l'air pour m'indiquer que tout baignait dans l'huile – ce qui était faux puisqu'il avait visiblement déjà perdu le contrôle du monstre de métal qui s'apprêtait à bouffer un des murs de la maison et à le recracher sur nous.

– ARRÊTE! j'ai hurlé.

Ça commençait à sentir le monoxyde de carbone dans la maison et j'ai commencé à avoir le vertige.

Heureusement, Fred n'est pas parvenu à faire grimper la souffleuse dans le petit escalier.

L'ouverture de la porte nous a sauvés de la catastrophe étant donné qu'elle n'était pas assez grande pour laisser passer l'engin infernal.

Fred a enfin coupé le moteur.

Son front était trempé de sueur et lui était essoufflé.

– Il va... Va falloir couper... couper les murs pour... pour la laisser passer.

– Espèce de manger mou, t'es malade ou quoi?!

– Il a une toux persistante depuis quelques jours, a répondu Tintin, mais de là à dire qu'il est malade...

– Malade dans la tête, j'ai ajouté. La souffleuse à neige reste dans le garage et éteinte. Tu vas nous empoisonner!

– Voyons, a dit Tintin. La souffleuse ne dégage pas assez d'émanations pour avoir un effet sur... Wô! Est-ce que je suis le seul à avoir vu passer un gobelin avec un sac rempli de pièces d'or sur le dos?

(...)

Mouain... Il est passé 18 h 30, et j'ai faim.

Qu'est-ce qui se passe avec mon souper?!

Je suis affamée!

Mon espèce de b...

> **Est-il vraiment essentiel de manger pour survivre?**

Si je cessais de manger et de boire, j'arrêterais d'exploiter mon environnement comme l'eau, les animaux de la ferme tels le bœuf, le cochon et le poulet, le lait des vaches, le blé et tout le reste.

De cette façon, mon empreinte écologique serait nulle.

Qui plus est, je ne produirais plus de déchets, donc je ne salirais plus d'eau propre à la consommation (dire qu'il y a des pays qui n'ont pas d'eau et nous, on expulse nos excréments dans de l'eau qu'on pourrait boire – on mériterait de se faire battre par un bandit dans une ruelle sombre).

Et, avec tout l'argent que je ferais économiser à mes parents, ils pourraient enfin m'acheter mon bébé hippo!

ZOUKINI!

(...)

Selon les scientifiques (pfff!), on peut survivre sans manger pendant un mois et demi, et une semaine sans boire.

Balivernes! 🌑

L'exploit écoresponsable que je m'apprête à relever, celui de ne plus m'alimenter, est possible comme en fait foi un Indien du nom de Prahlad Jani qui n'a rien avalé depuis... 70 ans !

Son secret ? À l'âge de huit ans, une déesse l'a béni.

Depuis, il se nourrit du vent et des rayons du soleil. C'est beauuu !

Tadam ! Je viens de découvrir la manière de régler le problème de la faim dans le monde !

Je suis tellement éblouissante que je brille dans le noir.

Reste maintenant à trouver une déesse.

Je sais que j'en suis une, public en délire, mais je parle d'une VRAIE déesse, avec des pouvoirs magiques, une beauté sans nom et des cheveux en fils d'or.

Donc, à partir de maintenant, j'arrête de boire et de manger. Et je me donne sept jours pour dénicher un être supranaturel de sexe féminin. Ça ne doit pas être si difficile que ça à trouver.

Je vais regarder sur le babillard public du dépanneur la prochaine fois que je vais y aller. Tout près des annonces d'animaux perdus, de madames qui sont prêtes à faire des ménages, d'ados qui veulent garder des enfants et de pneus usés à 20 %, y'a peut-être une déesse qui offre de jeter des sorts ?

C'est un métier d'avenir qui offre d'intéressantes opportunités. Et le salaire est à l'avenant (aucune idée de ce que ça veut dire).

(…)

J'AI FAIM! 😮

Il n'y a plus rien à manger dans la maison.

Pour souper, Tintin a vidé une boîte de bicarbonate de soude dans de l'eau et l'a fait bouillir.

Pour que ça goûte quelque chose, il a ajouté du ketchup et un truc foncé tiré d'une bouteille avec des écritures en sanskrit.

Question de respecter le guide alimentaire dans le rayon des légumes, j'ai croqué dans un oignon mou.

Pour dessert, j'ai trouvé un pot de gras de bacon sous l'évier. Saupoudré de sucre en poudre, c'était carrément répugnant.

Pour faire passer le tout, j'ai bu le jus vert des cornichons marinés.

J'ai essayé de manger le pot, mais c'est tout simplement pas comestible.

M'est avis qu'il est temps d'aller faire l'épicerie.

(…)

Je pensais que le journal de Valentine avec son entrevue exclusive de la maniaque sexuelle que je suis allait créer des remous; je m'attendais à ce que des élèves me reconnaissent et que des paparazzis se cachent dans mon étui à crayons pour prendre des photos de moi dans des positions embarrassantes. Eh bien, pour l'instant, c'est assez calme.

Y'a bien un photographe que j'ai surpris dans un rouleau de papier essuie-tout, mais je lui ai donné quelques baffes et il est parti en pleurant.

Autre événement qui ne doit pas nuire : Lara et son plagiat. La pression est de plus en plus forte et son éditeur a affirmé qu'il allait discuter avec le « vrai » auteur du roman pour connaître sa version des faits.

Ouche. ☹

J'ai envoyé quelques textos à Lara, mais elle ne m'a pas répondu.

Elle va avoir besoin de support. Et je ne parle pas de soutien-gorge de qualité (dis, public en délire, est-ce la première fois que je fais cette désopilante blague ?).

Je n'ose pas imaginer la tension à couper au couteau qu'il doit y avoir dans sa maison.

Ses parents, tellement snobs, doivent se sentir humiliés.

Pense pas qu'elle va être à l'école demain.

Et après-demain non plus.

Et plus jamais, en fait.

Parce que les commentaires que je lis sur la page communautaire de l'école administrée par Kim la discréditent. On la traite de conne, d'imbécile et d'autres noms que je ne peux pas écrire ici de crainte d'être expulsée des internettes par un gros robot chauve, videur de la Toile et peintre de couchers de soleil à ses heures (c'est son côté doux et velouté).

Je viens de laisser un message de paix et de pardon. J'espère que mes congénères vont entrer dans la danse et faire preuve de compassion.

Voici mon message : « Vrai qu'elle a gaffé et j'imagine qu'elle va s'en vouloir toute sa vie, mais où étaient ses parents ? Et l'éditeur ? Mettez-vous à sa place quelques instants. On devrait tous avoir une deuxième chance. »

J'ai confiance au genre humain. Mettons.

(…)

Côté texto, Alexandre m'a écrit qu'il s'ennuyait de moi et qu'il avait hâte qu'on passe du temps ensemble à regarder des films d'horreur poches.

Hé, hé, je l'ai corrompu.

Mathieu me demande si j'ai été contactée par la police pour une de ses histoires de vol.

Moi : Non ! Ne m'implique pas là-dedans !

Mathieu : T'as qu'à dire que t'étais avec moi et que j'ai rien volé. C'est tout.

Moi : Mathieu, j'étais en dehors du pays !

Mathieu : Le policier, il ne le sait pas.

Moi : Moi, je le sais ! Demande à Valentine.

Mathieu : Elle peut pas. J'ai déjà donné ton nom, ne me laisse pas tomber.

Moi : Tu me tapes sur les nerfs.

Mathieu : Je sais que tu m'aimes quand même.

Moi : Non, je te déteste.

Mathieu : Je ne te crois pas.

Je songe alors à Valentine et aux mots d'amour et aux câlins qu'elle m'a promis si je continue de parler à son *chum*.

Moi : Tu sais que ta blonde m'a menacée ?

Mathieu : Menacée de quoi ?

Moi : De me briser en deux si je continue à te parler.

Mathieu : Je te crois pas.

Moi : Je t'assure que c'est vrai. Elle va même engager quelqu'un pour le faire, si j'ai bien compris.

Mathieu : Voyons. Pas Val ! C'est la fille la plus douce que je connaisse.

Quoi ?! Tous ces litres de crème blanche dont je badigeonne ma peau n'ont rien donné ? Et ce sang d'écureuil dans lequel je baigne mon corps tous les soirs ne me permet-il pas d'être considérée comme la fille la plus douce qui soit ? Mathieu sait-il combien d'écureuils je dois attraper et éviscérer pour remplir un bain ?! 😮

(Avis à l'Association des écureuils du Québec : c'était une BLAGUE. Je ne prends pas de bain avec le sang de vos membres. Je fais plutôt des bijoux rigolos avec leurs intestins, que je vends en faisant du porte-à-porte pour financer une chirurgie esthétique qui me permettra enfin d'avoir une méchante grosse paire d'oreilles. Depuis la première fois que j'ai vu le film *Dumbo*, j'en rêve !)

Moi: Elle est pas si douce, ta blonde. C'est une biche.

Mathieu: LOL. Ça s'écrit bitch, pas biche.

Moi: Non, j'ai bel et bien écrit biche. Je te parle de la femelle d'une espèce de mammifère ruminant.

Mathieu: T'es weird.

Moi: Merci du compliment.

Mathieu: T'es fâchée à cause de l'article dans son journal?

Il était encore temps de faire appel à mes grands talents d'actrice tragédienne.

Moi: Quel article? Quel journal?

Mathieu: Le journal de Valentine.

Moi: Je suis pas au courant qu'elle a dévoilé mon jardin secret au monde entier et qu'elle a versé de l'agent orange dessus.

Mathieu: De l'agent orange? Quessé ça?

Moi: C'est un herbicide utilisé par l'armée américaine pendant la guerre du Vietnam. Ça tuait tous les végétaux.

Mathieu: Hum... O.K.

Moi: Son nom chimique est le 2,4,5-trichlorophénol.

Mathieu: D'ac.

Moi: Il est la cause de plusieurs cancers et malformations congénitales.

Mathieu: Eh ben.

Moi : Quand on pulvérise l'agent orange sur les plantes, ça provoque une croissance incontrôlée, menant à leur mort.

Mathieu : O.K., tu peux arrêter.

Moi : Des millions de Vietnamiens ont été exposés à l'agent orange. Des millions plus moi. Donc si j'attrape le cancer de la prostate, tu sauras que c'est la faute de ta biche.

Mathieu : Nam, les filles ont pas de prostate.

Moi : L'agent orange en a fait pousser une entre mes deux seins. T'as jamais remarqué que je portais un soutien-gorge à trois bonnets ?

Mathieu : Ça va, j'ai compris que tu n'aimes pas Valentine. Et, euh, tu peux m'envoyer une photo de ton soutien-gorge ?

Bien essayé, Pudding.

C'est sûr qu'à partir du moment où Valentine m'a volé mon *chum* et qu'elle a écrit publiquement que je *trippais* sur mon prof de français, je ne l'apprécie pas trop.

J'ai des devoirs à faire.

* *

Soyez femme autrement

Après des années de recherche, la compagnie
Joe Boop est fière d'offrir à sa clientèle haut
de gamme des soutiens-gorge multifonctions.
Ces véritables couteaux suisses du support
poitrinaire sont conçus avec le même tissu
que les vestes pare-balles. En plus, ils offrent
des ports intégrés afin de charger les
téléphones cellulaires. Notez que leurs
bretelles peuvent servir de lance-pierres,
que leurs bonnets sont pourvus d'une technologie
de filtration d'eau en cas d'égarement dans
une forêt lointaine et que leurs cerceaux,
une fois assemblés, forment un S.
Ils sont aussi munis d'explosifs avec détonateur
à distance si votre soeur l'emprunte sans
votre consentement.

www. sereserveledroitdexplosersanspreavis. com

* *

> **Violence !**

Wow. Le commentaire que j'ai laissé au sujet de Lara a créé un tsunami de mesquineries.

Les gens sont profondément méchants.

Comme s'ils prenaient plaisir à voir l'un des leurs trébucher et ne pas être capable de se relever.

La pauvre Lara est à terre et ils continuent à lui donner des coups de pied !

Y'a deux ou trois filles qui m'ont appuyée, dont ma petite chérie Kim, mais le reste, soit une vingtaine de personnes, me traitent de naïve, de molle et de «Lolo-les-culottes». (Je ne la comprends pas, celle-là ; c'est qui, Lolo ? Et qu'est-ce qu'elles ont de particulier, ses culottes ? Tant de mystères, si peu de réponses...)

C'est pas sain, toute cette fureur. Faudrait leur donner des câlins pour attendrir leur cœur.

Pour certains, à voir avec quelle férocité ils critiquent Lara, ça ne fonctionnera pas, faudra passer aux électrochocs.

J'ai demandé à Fred et à Tintin de laisser des commentaires pour m'appuyer, pour donner l'impression qu'on est plusieurs à soutenir Lara, mais ça n'a pas donné les résultats escomptés.

Fred a écrit : «OMG LOL WTF».

Et Tintin : « Dans certaines cultures, les vampires sont maniaco-arithmétiques ; cela signifie qu'ils sont obsédés par le comptage d'objets. Donc si vous êtes pourchassés par l'un d'eux, jetez-leur une poignée de riz, ils vont s'arrêter immédiatement pour en vérifier le nombre. »

Attaboy, les gars. Merci. Vraiment !

Les gens pensent que je défends Lara parce que c'est une amie.

Pas du tout. Primo, ce n'est pas une amie, mais une connaissance. Secundo, le plagiat est mal et jamais justifié.

Lara va souffrir de la brûlure de cette erreur monumentale pour le reste de sa vie.

Chaque fois qu'elle va voir un livre, qu'elle va revoir un camarade d'école, qu'elle va entendre parler de la sortie d'un roman, qu'elle va regarder ses parents, le souvenir de son plagiat va refaire surface comme un mal de tête récurrent.

Jamais dans 100 ans Lara ne va être à l'école demain.

Elle doit être liquéfiée de honte, la pauvre. ☹

Depuis qu'elle est devenue une personnalité publique, le nombre de ses « amis » Fesse-de-bouc est passé de 43 à... 3 896 ! Elle les connaît tous personnellement, sûrement...

Au lieu de la retirer de leur liste, ses supposés nouveaux « amis » laissent des commentaires désobligeants.

C'est laid.

(…)

Tintin vient de m'apprendre un mot allemand : *schadenfreude*. Ça signifie « éprouver du plaisir grâce au malheur des autres ».

C'est exactement ce qui se passe avec Lara.

Y'a pas d'équivalent en français.

Lentement mais sûrement, mon allemand s'améliore : je connais aussi les mots Volkswagen, Berlin, bunker, kaputt et berger (comme dans «berger allemand»).

Assez pour avoir une conversation soutenue !

Comme dans : «Le berger allemand dans la Volkswagen se dirige vers Berlin pour retourner dans son bunker. Kaputt !»

Qui a dit que ça devait avoir du sens ? Qui, hein ? Hein ?

Je suis flamboyante d'ingéniosité. (Mettons.)

(…)

Pop vient de rentrer à la maison.

Il ne sent pas l'alcool, mais il a sorti sa tasse de «café» et il a versé du scotch dedans.

J'espère qu'il va s'arrêter à un verre.

Il avait une bonne nouvelle à m'annoncer : Mom prend du mieux. Les antibiotiques font effet et elle ne fait plus de fièvre.

Mais on ne sait pas quand elle va rentrer à la maison.

Pour l'instant, elle se repose. Quand elle en a la force, elle lit, regarde la télévision et siffle les beaux médecins.

Go, Mom, *go*!

J'ai profité de l'occasion pour annoncer à Pop que ses enfants souffraient de la faim.

Il m'a demandé d'aller faire l'épicerie demain après l'école et il m'a donné 180 dollars.

Whoââââh!

J'imagine tout ce que je pourrais faire avec cet argent si la famille n'avait pas à se nourrir!

Je pourrais m'acheter un bras électrique que j'attacherais sur ma poitrine, juste en bas de ma prostate.

Je pourrais texter ET faire un signe du *devil* avec mon petit doigt et mon index *en même temps* et tirer la langue et faire «eurghhh!», comme les fans d'*heavy metal* (ou, en français, *métal dodu*).

Ce serait malade mental.

Je serais, genre, la Femme du futur.

Je serais la représentation du progrès vivant.

Je ferais peur aux enfants et aux personnes âgées, oui, mais faudrait qu'ils s'adaptent parce que Demain, c'est moi.

Et demain, je vais être fatiguée si je ne vais pas me coucher.

> Petit-déjeuner impromptu

À cinq heures et quart ce matin, je me suis levée pour aller faire pipi.

En sortant de la salle de bains, j'ai croisé Pop qui m'a demandé si je voulais déjeuner avec lui.

Même si j'avais encore une heure de dodo devant moi, je me suis dit que je ne pouvais pas passer à côté de cette occasion.

Il m'a fait cuire des œufs et m'a préparé des rôties au beurre d'arachides.

On a parlé de l'école, de mes pseudo-amours, de mon roman, du journal étudiant. Il avait l'air vraiment intéressé par ce que je lui racontais.

Il a desservi la table et, tandis que je terminais mon verre de lait, il m'a dit, sans me regarder :

– Je sais que j'ai un problème. Et je vais essayer de le régler.

Il a ouvert le lave-vaisselle et a commencé à le remplir.

– Je sais que tu peux le régler, j'ai dit.

– Ce n'est pas si facile, Namasté.

– Je sais.

Il s'est arrêté, m'a regardée et m'a souri :

- Non, tu ne sais pas. Tu ne peux pas savoir. C'est...
un cauchemar.

Je me suis tue et j'ai fixé mon verre de lait.

Pop a placé quelques assiettes avant de continuer :

- Un vrai cauchemar. Tout s'effondre. Tes deux
parents sont malades, ma fille.

« Malades » ?! 😮

- T'as pas aussi un cancer ?!

- Oui, on peut dire, mais pas comme celui de ta
mère. Le mien est un salaud de première. Il me ronge
de l'intérieur et y'a aucun médicament qui peut le faire
disparaître parce qu'il est invisible.

Mon cœur a repris un rythme régulier quand j'ai
compris ce dont il voulait parler.

- L'alcool, ai-je soufflé.

Il a fait oui de la tête.

- Avant que vous naissiez, je me suis promis de ces-
ser de boire pour ne pas vous faire vivre ce que mon
père m'a fait vivre. Ta mère m'a beaucoup aidé. Et puis
me voilà 20 ans plus tard au même point. C'est dur, oui,
mais c'est encore plus dur pour vous.

Entendre mon père se confier avec tant de candeur
et d'humilité était touchant ; troublant, même.

- Pas tant que ça, je lui ai dit, pour le rassurer. Tu
n'as fait de mal à personne.

- T'es fine, ma fille, mais je suis très bien placé pour
savoir ce que je vous fais. Vous vivez déjà la maladie de
votre mère, pas question que je vous fasse subir la mienne.

– Tu vas demander de l'aide ?

– C'est déjà fait.

Je me suis levée et je suis allée donner un gros câlin à mon papounet d'amour.

– Je t'aime.

Il a posé un baiser sur le dessus de ma tête.

– Je t'aime aussi. Je suis chanceux d'avoir une enfant aussi extraordinaire que toi.

– Je ne suis pas si extraordinaire que ça.

– Pourquoi tu dis ça ?

– Va falloir peut-être acheter un nouvel aspirateur parce que le nôtre, j'ai beau lui flanquer des coups de pied, il ne réagit plus. Y'é mort, on dirait.

– Comment ça ?

Je lui ai relaté les faits entourant cette sordide histoire.

C'est encore (un peu) de ma faute si l'aspi est dans cet état. ☹

À la suite de la catastrophe évitée de la souffleuse à neige dans la maison et après que tous ses occupants intoxiqués au monoxyde de carbone se sont mis à simuler une randonnée de ski de fond par une douce journée d'hiver, fallait trouver une solution efficace pour débarrasser la maison de toute cette bave de laveuse.

Fred, encore déçu de ne pouvoir défoncer des murs pour faire entrer la souffleuse dans la maison, a alors dit un mot qui a fait scintiller une lumière rouge dans ma tête :

– Aspirateur.

– Non, non, non, j'ai rétorqué. Chaque fois que tu l'utilises, il faut appeler les pompiers pour te libérer.

Il a levé les mains en l'air :

– Promis, cette fois, il ne va inhaler aucune partie de mon corps.

Tintin a fait une bouche de je-viens-de-lécher-un-citron :

– Ewww, dit comme ça, c'est vraiment troublant. Comme si t'étais de la drogue.

– Ce n'était pas des accidents. L'aspi savait ce qu'il faisait. Et tu sais quoi ? Je pense que pour lui, je suis effectivement une substance qui altère ses facultés. Il est devenu accro à moi.

– Ça expliquerait la raison pour laquelle il te respire dès qu'il en a l'occasion, a déclaré Tintin.

– Voilà ! Je suis, pour lui, une façon de s'évader de son quotidien terne.

Il fallait quelqu'un pour remettre les garçons sur le chemin de la raison et ce quelqu'un, ce fut moi.

– Les gars, vous êtes des hurluberlus. On parle d'un aspirateur !

– Ne sois pas si naïve, Nam. C'est le début de l'Électroménagers Apocalypse, je te l'ai dit. Quand tu vas te réveiller en pleine nuit sans pouvoir respirer et que tu vas constater que c'est ton réveille-matin qui t'étrangle, tu ne pourras pas dire que je ne t'avais pas averti.

– C'est rien de plus que Fred qui fait des expériences avec son corps. Normal, il apprend à se connaître. Il explore de nouvelles sensations qui le troublent.

– O.K., a fait mon grand frère, on arrête de parler de moi. Mon idée est de faire disparaître la mousse avec l'aspirateur.

J'ai fait une pause, j'ai regardé autour de moi et j'ai dit :

– Ça pourrait fonctionner.

Je sais que l'aspi n'est pas fait pour aspirer du liquide, mais de la mousse, ce n'en est pas vraiment.

Parce qu'après analyse avec mon microscope électronique à balayage photonique (hein ?!), j'ai déterminé qu'une bulle moyenne contenait 99,2 % d'air.

Je me suis dit que le 0,8 % restant allait s'évaporer.

Erreur.

La suite plus tard.

* *

L'invisible accessible

Vous vous êtes toujours demandé à quoi ressemblaient les insectes minuscules qui recouvrent votre corps et se nourrissent de vos peaux mortes? Vous vous questionnez à propos des milliards de germes qui grouillent sur vos mains, votre téléphone cellulaire et les poignées de portes? La technologie des microscopes les plus puissants vous est maintenant accessible. Vous pourrez désormais dire bonjour aux sympathiques acariens qui composent la moitié du poids de votre oreiller et serrer la pince au désopilant sarcopte qui pond des oeufs sous votre peau. Des heures de cris de terreur en perspective! www.uninvisibleterrifiant.com

* *

Trop cute, j'en veux un !

Nomxox

Publié le 3 février à 15 h 53
Humeur: dépassée

> L'impossible est arrivé

La rumeur à l'école s'est répandue comme un feu dans une forêt qui n'a pas reçu de pluie depuis un mois.

Dans ma classe de maths, Élizabeth a reçu un texto l'avisant que l'inconcevable se produisait: quelqu'un avait vu Lara dans l'école.

Oui, public en délire, il est interdit d'apporter dans la classe notre téléphone cellulaire. Voilà pourquoi j'ai fait de gros yeux à Élizabeth, j'ai levé la main et je l'ai dénoncée au professeur en la montrant du doigt.

Depuis, je me demande pourquoi plus personne ne veut me parler...

ZOUKINI!

Des rumeurs folles, à l'école, il y en a si souvent que personne n'en fait un plat.

Un jour, on a dit qu'un rat géant se promenait dans les corridors (c'était un bébé renard!).

Un autre jour, on a dit que Monsieur M. était sur le point de changer de sexe et qu'on allait devoir l'appeler Madame M.

La semaine dernière, on a dit que l'école allait offrir à tous les élèves une tablette numérique pour éliminer les manuels scolaires (*yeah*!), mais en retour, on devrait signer un contrat dans lequel on s'engageait à vivre comme des amish de 1880 : pas le droit d'utiliser des moyens de locomotion modernes – tout le monde marche pour aller à l'école ou emprunte le cheval et la charrette de ses parents –, pas le droit d'avoir recours à l'électricité, obligation d'abattre des bêtes pour le dîner, levée du corps à 4 h 30 et dodo à 20 h 30, scolarité se terminant en deuxième secondaire, mariage planifié à 16 ans et bébé 19 mois plus tard, port de la barbe pour tous les hommes avec interdiction d'afficher la moustache (hum... je crois que ces sacrifices sont mineurs si, en retour, j'obtiens une tablette numérique gratuite – il est où le contrat que je le signe ?).

Tout le monde a pris la rumeur à la légère.

Le plagiat de Lara était sur toutes les lèvres. Les médias en ont beaucoup parlé, les élèves de l'école ne discutaient que de ça et c'était même le sujet de prédilection des professeurs.

Lara est montée aussi vite qu'elle est descendue. D'enfant prodige qui sert d'exemple (persévérance ! talent ! humilité !) et de vedette (première page des journaux, articles élogieux, entrevues), elle est devenue une moins que rien.

Qu'elle soit à l'école, dans ces circonstances, relevait de la science-fiction (hum, jeu de mots poche compte tenu que son roman plagié était de ce genre).

Eh bien, ce quelqu'un avait raison : Lara était aujourd'hui bel et bien à l'école.

Est-ce qu'elle était la seule à ne pas être au courant qu'elle venait de se faire prendre en flagrant délit de plagiat?

Comment faisait-elle?

J'éternue dans un corridor et je suis gênée d'aller à l'école les jours suivants!

Après la deuxième période, la rumeur s'est avérée: Kim m'a dit qu'elle avait vu Lara et qu'elle était à 98 % sûre que ce n'était pas un sosie ou un hologramme ou une hallucination visuelle même si le beurre d'arachides qu'elle avait mangé au déjeuner était périmé depuis une semaine.

En me rendant à mon cours, je suis passée devant la bibliothèque, où il y avait un attroupement.

En me dressant sur mes orteils, j'ai vu une fille assise le dos contre le mur, la tête sur les genoux et les bras autour des jambes.

Cette fille, c'était Lara.

Tout le monde la regardait comme si elle était une statue qui vomissait du yogourt.

Elle était clairement en détresse et personne ne lui venait en aide.

Je me suis approchée, j'ai mis ma main sur son épaule et je lui ai posé la plus stupide des questions:

– Ça va?

Oui, public en délire, j'ai demandé à une fille scrutée comme un phénomène de foire qui vient tout juste de vivre une humiliation format Voie lactée si elle allait bien. 😳

À quoi je m'attendais? Que Lara lève un visage recouvert d'un maquillage de clown et qu'elle me demande avec un ton enjoué si je voulais un ballon en forme de girafe?

Lara a fait non de la tête.

– Ne restons pas ici, je lui ai dit. Allons ailleurs.

Toujours penchée vers l'avant, elle a chuchoté quelque chose que je n'ai pas entendu.

– Qu'est-ce que t'as dit?

Sa réponse m'a glacé le sang:

– Je veux mourir.

J'ai fait un signe de la main aux élèves qui nous regardaient:

– Dégagez, on n'est pas dans un zoo.

Aparté: l'affirmation que j'ai faite est fausse. Je trouve exagéré que certaines personnes considèrent l'école secondaire comme une jungle, avec des prédateurs, des proies et Tarzan (c'est moâââ, tassez-vous, je m'apprête à me balancer de liane en liane et à hurler OH-EE-OH-EE-OH-EE-AW-EE-AW!, faisant honneur au grand homme-singe que je suis – vu que c'est l'hiver, je fais la grève du rasage et j'ai réduit mon quotient intellectuel d'une dizaine de points pour ressembler aux gars de ma classe).

Mais on peut dire que l'école secondaire, c'est un zoo. Parce qu'il y a beaucoup d'espèces différentes (et de très étranges), parce qu'on est obligé d'y aller, parce qu'on se sent en cage et donc prisonnier, et parce qu'il y a même des gens engagés pour ramasser nos déchets (vous devriez voir l'état de la cafétéria après le dîner, on est des vrais cochons dans une porcherie)!

La seule chose qui manque est une boutique où on pourrait acheter des toutous à prix indécent représentant les animaux qu'on y croise.

Il manque aussi des machines à moulée à 25 cents que les visiteurs pourraient utiliser pour qu'on les approche.

Malgré l'horrible mensonge que j'ai proféré à l'endroit des spectateurs de la détresse de Lara, ils sont partis. Probablement plus parce que la cloche annonçant le début des cours venait de retentir qu'en raison de mon regard menaçant.

J'ai tenté de soulever Lara, mais elle ne voulait pas.

– Allez, je lui ai dit. Suis-moi.

De loin, un champion a crié : «Tricheuse!»

Et une suite de ricanements mesquins a suivi.

J'ai fait comme si je n'avais rien entendu, mais pas Lara, qui a été secouée par une vague de sanglots.

J'ai attendu que tous les élèves soient en classe pour l'interpeller.

– Relève-toi, tu ne peux pas rester là.

Elle a fait non de la tête.

Au bout du corridor, j'ai vu monsieur Patrick. Je l'ai hélé et lui ai fait signe d'approcher.

– Que se passe-t-il ?

– Mon amie est... euh... malade. Vous pourriez m'aider à l'amener chez le directeur ?

– Oui.

Il s'est penché et s'est mis à notre niveau.

– Est-ce que tu peux te lever ?

J'ai fait signe à monsieur Patrick de ne rien dire. Il n'a pas semblé comprendre pourquoi, mais il a obtempéré.

– Lara ?

Monsieur Patrick a saisi qui c'était ; il a fait des yeux gros comme ceux d'un tarsier (150 fois plus gros que ceux d'un être humain, merci à une recherche de cinquième année que j'ai faite sur ce si mignon primate).

J'ai vu qu'il se posait intérieurement la même question que moi : pour l'amour des animaux aux globes oculaires surdimensionnés, qu'est-ce que Lara fait à l'école ?!

On a réussi à la faire se lever et on l'a transportée jusqu'au bureau de Monsieur M.

Lara pesait une tonne et elle n'arrivait même pas à mettre un pied devant l'autre. Elle restait penchée vers l'avant, recroquevillée, comme si elle avait reçu un fulgurant coup de poing dans l'estomac.

Sa respiration était difficile et, en mettant la main sous son bras, j'ai senti que son chandail était mouillé par les larmes.

Au bureau du directeur, la secrétaire a appelé la mère de Lara.

Je suis encore toute bouleversée par ce qui s'est passé après...

(...)

Grand-Papi vient de me dire qu'on partait faire l'épicerie. La suite après avoir dépensé tout l'argent que Pop m'a donné en réglisses rouges. Hé, hé, hé...

Bâbord à tribord !

Publié le 3 février à 19 h 58
Humeur: dépassée

> 178,54 $ plus tard

Je viens de faire la première épicerie de ma vie.

Mais non, public en délire, je ne l'ai pas cambriolée; ce que tu peux avoir l'esprit tordu, des fois!

J'ai acheté de la nourriture (du «manger» comme dit Grand-Papi), question de ne pas être obligée de me nourrir du jus à la couleur surréaliste qui pourrit dans le fond du tiroir à légumes du frigo (ewww). ☹

Je pensais qu'avec la montagne d'argent que Pop m'avait donnée, il allait en rester assez pour m'acheter un diamant ou deux et faire enlever les varices sur mes paupières, mais non, manger, ça coûte cher!

J'étais un peu craintive de transporter autant d'argent dans mon portefeuille. Question de sécurité, j'ai pensé le mettre dans un attaché-case menotté à mon poignet, mais j'ai pas de menottes, pas d'attaché-case et, surtout, valeur essentielle de l'équation, pas de poignet (hein?).

En arrivant à l'épicerie, Grand-Papi a pris un panier pour faire ses emplettes et nous a annoncé, à Fred et à moi, qu'on allait se rejoindre aux caisses.

Tintin était avec nous comme «observateur indépendant». En gros, ça signifie que tout au long de cette éprouvante épreuve, il s'est * tousse, tousse * subtilement caché derrière les présentoirs de couches, de jus et de biscuits ainsi que dans le congélateur à crème glacée et, avec un télescope monoculaire de pirate (où a-t-il déniché ça?!), il nous a épiés.

Parce qu'il n'attirait *pas du tout* l'attention (il a fait peur à une pauvre dame âgée qui a alerté un commis affirmant que les yogourts étaient peut-être «passés date» parce qu'ils bougeaient et qu'on les entendait respirer; il s'agissait de Tintin qui était caché dessous), le gérant de l'épicerie s'est à son tour caché derrière les présentoirs et dans le réfrigérateur à bières pour espionner Tintin avec un télescope monoculaire de pirate (où a-t-il déniché ça?!).

Parce que Fred et moi avons vécu quelques aventures rocambolesques lors de notre périple épicier, je les reproduis ici pour que les archéologues du futur puissent avoir un portrait fidèle de ce moment historique. 😎

Dès le départ, Fred et moi avons eu une mésentente sur qui allait conduire le panier d'épicerie.

Il n'était pas question que ce soit lui.

– La dernière fois, t'as provoqué un carambolage dans le rayon de la viande et il a fallu les pinces de désincarcération pour sauver une pauvre famille prisonnière des carcasses tordues.

– C'était pas ma faute, j'ai roulé sur une mare de relish et j'ai perdu le contrôle. Et les roues du panier n'étaient pas chaussées pour ce genre de conditions.

Je lui ai tendu un panier.

– Commence l'épicerie, je vais aller échanger les canettes. Mais quand je reviens, je conduis.

Je me suis rendue aux machines automatiques qui broient les canettes et qui nous remettent un coupon de remboursement.

La dernière fois que Mom a demandé à Fred de le faire, c'était il y a quatre ans. Mon grand frère a voulu vivre «une expérience»: insérer dans la machine une canette encore pleine.

Résultat? Une explosion de boisson gazeuse a bousillé les circuits et les mécanismes du broyeur. Tous les gens situés à 10 kilomètres à la ronde ont été aspergés. Mom, honteuse, n'a plus jamais remis les pieds dans cette épicerie.

Et il paraît que depuis, à chaque caisse, avec les photos de voleurs en série, il y a celle de mon frère. C'est écrit en dessous: RECHERCHÉ MORT OU VIF (SURTOUT MORT).

On raconte que le plancher de cette épicerie est encore collant.

J'avais une dizaine de canettes à faire entrer dans le monstre mangeur de métal: à la deuxième, un message m'a indiqué que l'appareil ne pouvait plus en prendre.

J'ai fait signe à une caissière qui a appelé un commis pour la vider.

Et ce commis, c'était qui, public en délire?

Quoi? Eugène-Henri Poubelle, l'inventeur du principe de la poubelle? *WTF*? C'est quoi le rapport? Comment il pourrait travailler dans une épicerie, il est mort en 1907?!

Public en délire, t'es (parfois) bizarre et tu me fais (souvent) un peu peur.

Donc, qui est venu vider l'estomac de la boîte mangeuse d'aluminium?

Alexandre, mon faux chum fleuriste moustachu boxeur et amateur de bongos en *bungee*! 😮

Avant de penser, public en délire, qu'il s'agit de la vie ou du gars des vues ou du destin ou d'une autre entité magique qui en a voulu ainsi, détrompe-toi.

En partant, Fred a souhaité qu'on aille à cette épicerie. Il avait même un papier avec l'adresse et les heures précises pendant lesquelles il fallait se présenter.

– Pourquoi celle-là? a demandé Grand-Papi. Il y en a 27 plus proches.

C'est Tintin qui a répondu à sa place:

– Les poitrines de poulet sont en solde. Et y'a une dégustation de saucissons.

Je n'aurais rien trouvé de suspect, n'eussent été les clins d'œil à répétition que Tintin a lancés à mon frère, son sourire complice et les coups de coude qu'il lui a donnés sur les côtes.

– Qu'est-ce qui se passe? je leur ai dit.

– Rien. Pourquoi tu demandes ça?

– Je sais pas. J'ai l'intuition que vous manigancez quelque chose.

– Pas du tout. Si je fais l'épicerie, je veux que ce soit dans un environnement propice à la consommation responsable. Et je veux profiter de prix qui défient toute concurrence. J'ai fait des recherches et c'est l'endroit idéal pour perdre notre virginité de client.

– « Notre virginité de client » ? J'ai comme soudainement le goût d'ouvrir la porte de l'auto et de me jeter dehors.

– Attends qu'on soit arrêtés, a dit Grand-Papi, ça va faire moins mal.

Les poitrines de poulet en spécial et la dégustation de saucissons n'étaient donc pas les raisons fondamentales du choix de cette épicerie.

(Cela étant dit, les poitrines de poulet étaient effectivement à bon prix et il y avait réellement une dégustation de saucissons. La preuve que les entités magiques existent vraiment.)

Alexandre, dit Wolfgang, a fait comme s'il était surpris de me voir. Mais vu que ses talents de comédien sont nuls, c'était clair comme de l'eau de roche qu'il s'attendait à me voir.

– Nam ?! Mais quelle surprise !

– Ouais, c'est ça. Je comprends maintenant pourquoi mon frère voulait qu'on vienne ici. C'est une rencontre arrangée.

– Mais non, pas du tout. Pourquoi tu dis ça ?

Un peu plus et il sortait un scénario de sous son tablier pour s'assurer qu'il venait de me donner la bonne réplique.

– Laisse faire. Ta machine est pleine.

– Vraiment ? Mais quel dommage ! Laisse-moi venir à ta rescousse.

– J'ai dit qu'elle était pleine, pas que j'avais le bras coincé dedans.

– Je vois que tu es perturbée. Laisse-moi donc te secourir.

– Je suis pas perturbée, je veux juste qu'on me rembourse mes canettes. Je suis sensible, mais pas à ce point.

Alexandre a ouvert la machine avec une clef spéciale, il a sorti un énorme sac rempli de canettes comprimées et il l'a remplacé par un sac vide.

– T'es mon héros, je lui ai dit.

– Je suis ton ange gardien.

– Exagère pas, patate. Allez, bonne soirée.

– Merci de ta collaboration.

Il doit arrêter de dire ça, ça m'énerve!

Au cours de ma séance de magasinage, je l'ai recroisé au moins 1 376 fois. Une fois, il rangeait de la nourriture pour chien, l'autre, il changeait un néon, une autre fois, il replaçait des sachets de sauce, une autre, il passait la serpillère, une autre, il jonglait avec des œufs; pas croyable, chaque fois que je changeais de rangée, il était là, occupé à une tâche différente!

Et chaque fois, il a paru étonné de me voir.

Misère...

ALERTE ZON'A!

(…)

Pas fini de raconter mon histoire, Pop vient d'arriver, je vais aller demander des nouvelles de Mom.

Voilà comment l'homo erectus
a découvert le feu

Publié le 3 février à 21 h 32
Humeur: inquiète

> **Cauchemar**

Bonne nouvelle : l'état de Mom s'améliore de jour en jour. Je viens de lui parler au téléphone et son ton était bon. Je lui ai raconté mes tribulations à l'épicerie, ça l'a fait beaucoup rire.

Elle a hâte de rentrer à la maison. Elle dit que l'hôpital, c'est super déprimant, surtout quand on est patient. Mais elle connaît presque tout le monde parce que c'est là qu'elle travaillait, donc il y a toujours quelqu'un pour lui faire la conversation.

Au début, quand j'ai parlé à Pop, il m'a semblé qu'il sentait un peu l'alcool.

Considérant ce qu'il m'avait dit et la franchise avec laquelle il l'avait fait, j'ai pensé qu'il ne pouvait juste pas avoir recommencé à boire aussi rapidement.

Je suis un peu trop parano.

(…)

J'ai aussi discuté de Lara avec Mom.

Elle est hospitalisée dans un département de psychiatrie depuis cet après-midi.

Ce matin, à l'école, quand la secrétaire a contacté la mère de Lara pour l'aviser que sa fille n'allait pas bien, elle a répondu qu'il n'était pas question qu'elle aille la chercher et qu'elle devait assumer ses actes. Puis elle a raccroché la ligne au nez de la secrétaire.

Monsieur Patrick et moi, on n'en revenait pas.

La pauvre Lara était en état de choc. On n'arrivait pas à lui parler. Elle ne faisait que pleurer et gémir.

J'ai entrevu son visage et, dans ma vie, je n'avais jamais vu quelqu'un d'aussi démoli. Il a même fallu que je ravale un sanglot.

Monsieur M. a rappelé la mère de Lara et ils ont discuté une quinzaine de minutes. Je ne sais pas ce qu'ils se sont dit parce que la porte du bureau du directeur était fermée, mais, au bout du compte, la mère est venue chercher sa fille.

Cela a au moins répondu à l'une des questions que je me posais : Lara était à l'école parce que ses parents l'avaient forcée à y aller.

FORCÉE !

La pauvre Lara est seule au monde.

Je pense que le rôle des parents est de protéger leurs enfants contre les autres, mais aussi contre eux-mêmes.

Je pense que le rôle des parents est d'aimer leurs enfants de manière absolue.

Je pense que le rôle des parents est de reconnaître qu'ils ont gaffé quand ils ont gaffé et d'en accepter les conséquences.

Si j'avais fait une bêtise comme celle de Lara, je suis persuadée que mes parents m'auraient épaulée et qu'ils auraient endossé une partie de ma responsabilité.

Ils n'auraient pas été contents, c'est sûr, mais jamais ils ne m'auraient abandonnée.

Et ils ne m'auraient certainement pas envoyée à l'école!

Finalement, ce n'est pas la mère de Lara qui s'est présentée, mais une de ses tantes.

Monsieur M. avait pris la décision d'appeler une ambulance parce que Lara dépérissait à vue d'œil.

Assise sur une chaise, toujours recroquevillée sur elle-même, elle se balançait d'avant en arrière. Elle murmurait des trucs parfois incompréhensibles et parlait des examens à venir ou de son lit qu'elle n'avait pas bien fait.

C'était épeurant!

Monsieur Patrick et Monsieur M. essayaient de savoir si elle avait besoin de quelque chose, si elle avait soif ou faim, mais y'avait rien de logique dans ce qu'elle racontait.

Monsieur Patrick a dit que Lara avait perdu le contact avec la réalité.

Une minute après que la tante est arrivée – une femme bien qui a fait preuve de compassion –, les ambulanciers ont pointé leur nez.

Ils ont été super gentils avec Lara; ils l'ont assise sur une civière et recouverte d'un drap.

Et ils sont partis avec elle. Sa tante les a suivis.

Depuis, je n'ai pas de nouvelles.

J'ai demandé à Mom si elle connaissait des gens qui travaillaient dans le département de psychiatrie et qui pourraient nous en dire plus sur l'état de Lara. Elle en connaît, mais ils n'ont pas le droit de dévoiler des informations aussi confidentielles.

J'espère de tout mon cœur qu'elle va mieux.

Je pense très fort à elle et je lui envoie des ondes positives.

Je doute que ça donne des résultats parce que je ne suis pas une antenne, mais bon...

(...)

Il a aussi fallu que je justifie la mort (que Bouddah ait son âme) de notre aspirateur.

Pop avait déjà raconté à Mom les conséquences de l'excellente idée que j'ai eue de mettre du liquide pour laver la vaisselle dans la laveuse, mais il ne s'expliquait pas pourquoi l'aspi pouvait en être décédé.

Facile !

Fred a sorti l'aspirateur du placard, l'a branché dans la prise de courant et l'a activé.

Puis il a entrepris d'enlever la mousse, tout en restant sur ses gardes, comme s'il manipulait un serpent en furie, parce que les dernières fois qu'il a utilisé l'aspirateur, il a fallu que les pompiers viennent le secourir.

Au début, mon grand frère semblait manquer de confiance en lui puis, lentement, au fur et à mesure qu'aucun incident indécent ne survenait, sa colonne vertébrale s'est redressée, son menton s'est soulevé, ses épaules se sont élargies et j'ai vu qu'il était fier de lui, comme le cavalier qui remonte sur son cheval à la suite d'une mauvaise chute.

Ou comme le matador qui retourne dans l'arène après qu'un taureau est parvenu avec une de ses cornes à lui enlever son pantalon devant une foule horrifiée à la vue de ses foufounes blanches.

C'était super efficace, comme méthode. À ce rythme, en moins de 10 minutes, toute la mousse aurait été chose du passé et ce débordement glissant un simple écho du passé.

C'était trop beau pour être vrai, bien entendu.

Après une minute d'aspiration intensive, de la fumée provenant de l'aspirateur a envahi la pièce.

J'ai crié à Fred :

– Arrête, il y a un problème.

Il a fait non de la tête.

– C'est normal !

Parce que Fred est un expert en éradication de mousse à liquide à vaisselle par un instrument qui ne sert absolument pas à ça, je l'ai laissé faire.

Sauf que la fumée est devenue de plus en plus noire.

Au point de déclencher les détecteurs.

Assez pour empêcher Fred d'accomplir sa besogne ? Nope.

– Arrête, j'ai hurlé, on ne peut plus respirer.

Sa réponse énigmatique :

– Utilise ta bouche.

De *quessé* ?!

Quelques instants plus tard, des feux d'artifice miniatures sont apparus. Comme des étincelles, mais qui flottaient dans les airs.

– FRED !

Il a paru irrité :

– QUOI ?! ÇA VA ALLER, ARRÊTE DE CAPO...

Et l'aspirateur de se mettre à cracher du feu.

Ma réaction aurait été de tout lâcher, de me mettre en petite boule et de pleurer.

Mais Fred étant Fred, il a soulevé le tuyau et, un large sourire étampé au visage, il a fait :

– TROP *COOL* !

Son rêve de posséder son propre lance-flamme était enfin devenu réalité.

Dans sa tête, il a imaginé tout ce qu'il pourrait accomplir avec pareil jouet : chasser le gorille récemment évadé du zoo, faire peur aux brigadiers à l'air bête en se cachant derrière un buisson et impressionner les filles avec son « briquet 2.0 ».

Ce moment de pure magie a été de courte durée puisque les rideaux derrière lui se sont enflammés.

Et le moteur de l'aspirateur a explosé.

Tintin a essayé d'éteindre les rideaux en soufflant dessus «Ffff, ffff, ffff!», croyant peut-être qu'il s'agissait d'une grosse bougie de gâteau d'anniversaire.

Je lui ai dit, cherchant un moyen d'éteindre le début de l'incendie:

– N'oublie pas de faire un vœu, tant qu'à y être!

J'ai finalement arraché les rideaux et, avec mes pieds, j'ai mis fin au feu de joie.

J'ai ouvert les fenêtres et j'ai essayé de faire sortir la fumée à l'aide d'un magazine.

Tintin me regardait drôlement:

– Qu'est-ce qu'il y a?!

– C'était beau.

– Beau? Qu'est-ce qui était beau?

– La danse que tu viens de faire.

– La danse? De quoi tu parles?

– Sur les rideaux. C'était gracieux et violent.

– C'était pas une danse, Tintin, j'éteignais le feu.

– Ah oui? T'es sûre? Pourquoi t'as pas soufflé dessus comme moi?

– Parce que souffler sur un feu, ça l'aide à se propager. Avec mes pieds, j'ai étouffé le feu. Tu penses que, pour le plaisir, j'arracherais les rideaux et je me mettrais à danser dessus?

– Pas pour le plaisir, mais au nom de cet art millénaire qu'est la danse.

Qui sont apparus quelques minutes plus tard et ont stationné leur camion rouge avec une échelle et tous gyrophares allumés devant la maison?

Eh oui, les pompiers!

Notre détecteur de fumée est relié à une centrale et lorsqu'elle a appelé pour vérifier si tout était en ordre, on n'a pas entendu le téléphone sonner; la centrale a donc demandé aux pompiers de venir faire un tour.

Fred est allé à leur rencontre en disant: «Salut les *buddies*!» Et il leur a annoncé, tout fier, que cette fois, le suceur de l'aspirateur n'était pas collé à un endroit biscornu de son corps.

Repose en paix, aspirateur.

Et surtout, R.I.P., suceur. J'espère que dans le nouveau monde où tu es, personne n'abuse de toi en te faisant cracher du feu ou en te collant sur la peau moite d'un adolescent incompris.

Publié le 4 février à 16 h 06
Humeur: bouillante

> ### Cinq raisons d'être de mauvaise humeur

Qui a posé un geste complètement fou aujourd'hui? C'est mouaaahhh!

Et devant qui je l'ai accompli? Devant toute la cafétériaaa!

Je n'étais pas de super bonne humeur aujourd'hui, et ce, pour plusieurs raisons.

Premièrement: Fred avait promis de déballer les sacs d'épicerie hier soir. Ce matin, ils étaient encore sur la table.

On a perdu la crème glacée (qui est rendue de la *splouche*), le poulet (qui sent maintenant l'aisselle d'éléphant) et le saumon (qui semble à présent ne pas s'être lavé depuis belle lurette).

Je n'étais pas contente.

J'ai réveillé mon frère en douceur, en lui mettant les poils du balai au visage. Je ne sais pas de quoi il rêvait, mais au début, il a commencé à les embrasser; j'ai trouvé ça vraiment dégoûtant, alors j'ai décidé de le frapper avec mon arme.

– L'épicerie, j'ai dit. T'as rien rangé!

– Geuh?

– T'attends quoi? Que des pattes poussent sur la nourriture et qu'elle se rende toute seule dans le réfrigérateur?!

– Le réfrigérateur a des pattes et il court dans la maison?

– Quoi?

– Hein?

– Hein?!

– Quoi?!

– Quoi!

– Hein!

Discussion super cohérente, comme la majorité de celles que j'ai avec Fred.

Deuxièmement: cinq minutes plus tard, alors que je déjeunais, mon super frère est entré dans la cuisine et il a dit:

– Je sais pourquoi t'es de mauvaise humeur.

– Ah oui? Eh ben, ça t'en a pris du temps. Allez, vide les sacs avant que je te les mette sur la tête et que je te donne des coups de casserole pour te remettre les idées en place.

– T'es de mauvaise humeur parce que t'es menstruée. J'ai vu les trucs dans la poubelle.

– Une fille ne peut pas être fâchée sans être menstruée, c'est ça?

– Me faire réveiller à coups de balai, c'était peut-être un peu trop intense.

Avec le recul, je reconnais que j'y suis allée un peu fort. Il n'était pas question de lui donner raison, cependant.

– Non, c'est ce que tu méritais. Compte-toi chanceux, j'aurais pu utiliser la pelle. Ou la souffleuse à neige.

Troisièmement : mes hormones en folie.

Quatrièmement : avant de me coucher hier soir, j'ai préparé 24 *cupcakes* à la vanille. Je les ai laissés refroidir sur la cuisinière avant d'appliquer du glaçage. Ce matin, il en restait... trois !

En plus, y'a un gargantua qui a bouffé tout le glaçage à même le pot et qui a laissé des traces avec sa bouche sur le carton de lait, parce que sortir un verre de l'armoire, c'est *tellement* dur.

Fred et Tintin affirment que ce n'est pas eux.

– Pas consciemment, en tout cas, a ajouté Tintin.

– Consciemment ?

– Ouais. Y'a toujours la probabilité du somnambulisme. Tu dois te compter chanceuse si c'est le cas.

– Chanceuse de vivre avec des cochons ?

– Non, chanceuse que notre somnambulisme ne se traduise pas par l'exhibitionnisme ou le meurtre. Si ce n'est que manger des petits gâteaux et boire du lait, je pense que c'est anodin.

– De l'exhibitionnisme ?

– Ouais. On pourrait errer tout nus dans la maison.

Un frisson d'horreur a parcouru ma peau.

– C'est *nawak* ce que tu racontes, y'a pas de somnambule ici.

– Comment tu peux le savoir? Tu dors quand ça arrive.

Bon point.

Personne n'a mangé mes *cupcakes*, mais Tintin et Fred n'avaient pas faim pour déjeuner. Z'avaient même un peu mal au cœur.

Pop et Grand-Papi ont juste bu du café.

Et Youki, mon p'tit chien d'amooour, a vomi deux moules en papier à mes pieds pendant que je déjeunais.

Je n'ai plus d'alliés dans cette maison.

Prochaine fois, je vais cacher les *cupcakes* sous mon lit. Si quelqu'un approche pour y toucher, ahhh ya!, je vais lui donner un de mes coups de karaté de la mort.

Cinquièmement: ce matin, à l'arrêt, voyant l'autobus approcher, j'ai voulu sortir ma carte de transport de mon portefeuille, mais je l'avais oubliée. Mon stress a augmenté de 10 crans parce que je savais ce qui m'attendait: la moustache de Gaston allait me faire des gros yeux. C'est ce qui est arrivé. J'ai failli exploser et lui crier: «HEY MOUSTACHE, ON SE VOIT TOUS LES MATINS, LAISSE-MOI UNE CHANCE!» Mais le regard de la moustache de Gaston était trop intimidant, je me suis tue.

(Sans blague, je me suis rendu compte que je ne regardais que ça chez Gaston, je ne sais même pas quelle est la couleur de ses yeux ou du brillant qu'il applique généreusement sur ses lèvres chaque matin, le coquin; je pense qu'il est temps de m'intéresser à d'autres parties de son [j'imagine] sublime visage.)

Je vais souper et je reviens.

C'est pas une menace, c'est une promesse.

Grrr.

Y'a longtemps que
je ne t'ai pas vue

Namxox

> **Cinq autres bonnes raisons d'être de mauvaise humeur**

Bon, bon, bon.

Paraît que Valentine raconte à qui veut l'entendre qu'elle va me faire péter la *yeule* en mille morceaux.

Je ne suis pas étonnée vu qu'elle m'avait avertie qu'elle allait le faire.

Hum... Je me demande pourquoi elle m'en veut tant. Hé, hé, hé...

J'ai peut-être poussé le bouchon un peu trop loin.

J'ai peut-être été un peu trop baveuse.

Une chose est sûre, elle n'a pas le sens de l'humour. La folie que j'ai faite ce midi était une blague.

D'un goût douteux (sandwich jambon-fromage, je vais expliquer plus loin pourquoi), mais c'était de l'humour quand même.

Kim m'a demandé si j'avais peur.

C'est sûr que si demain, après l'école, il y a une grand-mère barbue sur une moto qui m'attend avec une batte de baseball cloutée sur l'épaule et qui m'invite à aller «faire un tour» avec elle dans un endroit isolé pour me montrer une portée de chatons et me donner des bonbons, je vais un peu paniquer.

Sincèrement, je pense que ce n'est que du vent.

Elle veut m'intimider et y parvient quand même assez bien, étant donné que la dernière fois que je me suis battue, c'était il y a quelques années dans un rêve avec une pieuvre ahurie portant un chapeau de finissant et fumant la pipe.

Je me suis fait planter d'aplomb, mais deux semaines plus tard, j'ai été déclarée gagnante parce qu'un prélèvement sanguin a révélé que ce n'était pas du tabac que la pieuvre fumait dans sa pipe, mais du persil, donc elle a été disqualifiée.

Dans le milieu des créatures pétées qu'on retrouve dans les rêves, elle est considérée comme une honte, une souillure.

Tant pis pour elle.

Je ne suis vraiment pas du genre à régler mes problèmes avec mes poings et je crois que Valentine non plus.

Il me faudra peut-être un garde du corps.

Je vais trimballer Youki avec moi, personne n'osera poser le p'tit doigt sur moi; tous seront trop obnubilés par la *mignonnerie* et la *croquignoletterie* (ce ne sont pas des maladies de la peau) de mon chien. 😶

Allez, public en délire, finissons-en avec les détails de cette journée fantasmagorique.

Sixième raison de ma mauvaise humeur : dans l'autobus, ce matin, y'a un gars qui m'a demandé si j'étais la fille amoureuse de son professeur dont parle Valentine dans son torchon. J'ai répondu qu'effectivement, c'était moi; il a ricané et ne m'a plus embêtée avec ça.

Ensuite, Kim l'a entendu dire à ses amis que ce n'était pas moi la fille en question parce que si ça avait été le cas, j'aurais nié. Hé, hé, hé.

Dans la même veine, mon espion à l'étranger (un Russe qui s'appelle Boris et qui m'envoie des signaux secrets via mes broches) me rapporte que le nombre de téléchargements du journal de Valentine est faible, moins d'une cinquantaine.

Même si ma maman m'a bien appris à ne pas me réjouir du malheur des autres, des fois, c'est dur.

Septième raison : mes hormones déchaînées.

Huitième raison : le village de boutons apparu sur mon visage pendant la nuit; ils ne savaient pas où camper, j'imagine, ils se sont dit que ma face était l'endroit tout désigné : c'est plat, c'est à la vue de tout le monde (pourquoi les boutons d'acné ne poussent-ils pas sous les orteils ?!) et ils ont cru que j'allais sauter de joie en les découvrant et me dire : « Rien de mieux pour démarrer une journée du bon pied ! »

Neuvième raison : j'ai eu un examen de maths dont j'avais complètement oublié d'étudier la matière. J'ai écrit « *WTF* ? » partout, même sur la ligne de mon nom.

J'ai hâte d'avoir ma note.

Dixième raison : Valentine. J'observais tranquillement, dans le miroir de la toilette mon visage et sa magnifique chaîne montagneuse d'inflammation de mes follicules pilosébacés (heureusement qu'ils n'étaient pas *enflammés*; s'il avait fallu que mes boutons crachent du feu comme des volcans et que tous les gicleurs de l'école s'activent sur mon passage... Quoique, à bien y penser, ç'aurait été *awesome*!) lorsque j'ai vu Valentine surgir d'un des cabinets. Par le miroir, elle m'a regardée et m'a dit : «Le gros bébé lala est allé se plaindre à Mathieu que j'allais lui faire bobo.»

Il m'a fallu quelques millièmes de seconde pour réaliser que le «gros bébé lala» n'était pas la fille qui pleurnichait à côté de moi en se regardant dans le miroir parce qu'elle avait oublié son doudou à la maison.

– Ouais, j'ai laissé tombé, question de lui faire réaliser que t'es une myopathe.

– Une quoi?

– Une myopathe. Une fille qui souffre de myopathie.

– *Quessé* ça?

– Une dégénérescence du tissu musculaire. En gros, ça veut dire que si tu ne fais pas attention en enlevant ton soutien-gorge, tes seins peuvent tomber durement sur tes pieds et les fracturer. Ça, Mathieu doit le savoir. On appelle ça un vice caché, fille.

Tout comme moi, elle n'a rien compris à ce que je venais de raconter. Elle m'a regardée comme si j'avais craché une boule de mes cheveux dans l'évier.

– T'es folle.

– Le Vietnam, j'ai répondu. Ça m'est rentré dans le cerveau et ça ne veut plus sortir.

Valentine m'a décoché une flèche empoissonnée de méchanceté, visant la prostate entre mes deux seins (c'était peut-être mon cœur, ce n'est pas clair).

– Je comprends mieux pourquoi t'es amoureuse d'un gars de deux fois ton âge.

J'ai attrapé sa flèche possiblement mortelle avant qu'elle ne m'atteigne et je l'ai cassée en deux sur mon genou en criant : « Ça ne sert à rien de courir en zigzag quand on est pourchassé par un alligator ! »

J'ai adopté mon air le plus grave :

– Non, Valentine, c'est pire. Je suis maintenant amoureuse d'un gars qui a cinq fois mon âge. Tu sais, le gardien de sécurité qui fume sa cigarette en cachette dans son local en pensant que personne n'est au courant ? Tu peux en parler dans ton journal, je suis prête à faire une sortie.

J'ai posé une main sur la sienne.

– Tu dois m'aider à guérir de cette maladie. J'ai peur de tomber amoureuse du père Noël. Je sais que c'est un amour impossible, *because* la mère Noël ; on ne peut pas approcher de son mec à moins de 100 mètres sans qu'elle nous tire les cheveux et nous égratigne le visage avec ses ongles de danseuse nue. Ça, c'est si les lutins qu'elle a dressés pour l'attaque ne nous ont pas déchiquetées avec leurs dents limées.

Elle a retiré sa main et reculé de trois pas.

Ne sachant pas quoi dire après ces aveux troublants, elle est sortie.

Elle n'était pas la seule à être perturbée, je l'étais tout autant qu'elle.

Mettons cela sur la faute des hormones.

(…)

Cent trois minutes plus tard, j'étais à la cafétéria pour m'acheter une salade. Valentine était assise avec Mathieu.

Quand son regard a croisé le mien, elle a affiché un air de dégoût et, avec son index, elle a fait un cercle autour de sa tempe pour me signifier que j'étais folle.

J'ai décidé de lui prouver qu'elle n'avait pas tort.

J'ai déposé mon cabaret, j'ai quitté la file qui menait à la caisse et j'ai marché dans sa direction.

Elle s'est levée, croyant que je m'apprêtais à lui donner un câlin (ou quelque chose du genre).

Je suis passée derrière Mathieu, j'ai baissé la tête et j'ai appliqué mes lèvres sur les siennes.

Et j'ai sorti la langue.

Un gros *french* dont l'organe du goût de Mathieu ne s'est pas fait prier pour entrer dans la danse.

Note : Je ne suis pas une experte en la matière, je n'ai pas des litres et des litres de salive échangée d'expérience, mais avant d'embrasser, les deux parties s'assurent habituellement d'avoir la bouche fraîche et exempte de nourriture. Cela favorise une expérience agréable, envoûtante et exempte de grumeaux.

Mathieu venait de prendre une bouchée de son sandwich jambon-fromage.

Sans entrer dans les détails, disons que ça avait l'air plus sensuel que ce ne l'était vraiment. ☹

Mettons que je n'avais plus faim après.

Considérant que le but n'était pas de me titiller le bas du ventre, mais plutôt de faire suer Valentine au max, je peux lever les deux pouces en l'air, sourire à pleines dents brochues et dire : « Mission accomplie ! »

Valentine avait les yeux tellement grands ouverts après que j'eus embrassé son *chum* qu'elle les a échappés dans sa soupe.

Je me suis éloignée avec un sourire narquois, en m'efforçant de ne pas cracher ce qui encombrait ma bouche et me dégoûtait, vu que je sentais des centaines de regards pointés dans ma direction. M'est avis qu'expectorer sur la foule telle une fumeuse aurait amoindri l'impact de mon acte insensé.

Quelques minutes après avoir rincé ma bouche à l'aide d'un boyau de pompier et nettoyé ma langue à la ponceuse, comme si je décapais un meuble ancien, j'ai réalisé l'ampleur du geste que je venais de poser.

Je me suis trouvée pas mal extravagante.

Peut-être un peu trop.

Peut-être un peu trop impulsive aussi.

* *

Victime de vos hormones?

Elles sont responsables de vos sautes d'humeur,
des poils qui poussent à des endroits bizarres,
des règles irrégulières, de l'acné, des cheveux
gras, de la prise de poids, des pertes de mémoire,
des maux de tête et des sueurs nocturnes (donc du
réchauffement de la planète). Certaines de vos
hormones sont de véritables bourreaux! Mettez fin à
cette emprise que vous n'avez pas autorisée sur
votre corps en consommant le produit naturel
révolutionnaire Glandula 3000. Grâce à Glandula
3000, VOUS déciderez enfin quand vous voulez avoir
des sautes d'humeur, des poils qui poussent à des
endroits bizarres, des règles irrégulières, de
l'acné, des cheveux gras, des kilos en trop,
des pertes de mémoire, des maux de tête et des
sueurs nocturnes (pour contribuer vous aussi au
réchauffement de la planète).
Vous avez maintenant le choix.

www.lelienentrelerechauffementdelaplaneteetles
hormonesnapasencoreeteprouve.com

* *

Publié le 4 février à 22 h 31
Humeur: apeurée

> Épicerie en folie, la suite (entre autres)

Je fais ma fraîche, mais je commence à avoir peur de Valentine. 😕

Mathieu vient de me dire par texto que je l'avais vraiment rendue furieuse, pas juste parce que j'ai laissé entendre qu'elle avait des seins qui pendouillaient, mais aussi parce que j'ai embrassé son *chum* devant toute l'école.

Pfff... Elle est tellement susceptible. Mettons.

Mathieu: Je pense vraiment qu'elle va te péter la gueule.

Namasté: Voyons, voyons. Nous sommes des personnes civilisées, pas des singes.

Mathieu: Sans blague, Nam, elle est méga fâchée.

Namasté: Je le serais aussi si j'étais à sa place. :)

Mathieu: C'est pas drôle, Nam.

Namasté: Tu vas me défendre.

Mathieu: J'essaie de la calmer, mais elle est furax. Et en plus, elle se fâche encore plus parce que je te défends.

Que Mathieu soit inquiet m'a perturbée, lui qui ne s'énerve jamais.

Il pourrait y avoir une pluie d'astéroïdes et il sortirait tranquillement son parapluie et se mettrait à siffler *Chantons sous la pluie*.

Kim me conseille d'aller parler à Monsieur M. Ça ne va rien donner; il peut peut-être s'assurer qu'il ne va rien se passer à l'école, mais pas à l'extérieur.

Mouais... J'ai peut-être poussé un peu trop ma chance...

(...)

Alexandre est trop *cute*.

Il affirme qu'il ne va permettre à personne de poser le petit doigt sur moi et qu'il va me servir de garde du corps.

C'est super gentil, mais son école se termine à 15 h 35 et la mienne à 15 h 45. Même s'il avait une Formule 1, il ne pourrait pas être avec moi avant 16 h 15.

Il lui faudrait un hélicoptère, mais ça prend des mois de pratique avant d'avoir un permis. Et c'est cher; 50 000 dollars pour un vieux modèle qui va te faire vivre les moments les plus effrayants de ta vie en s'écrasant au sol sans raison.

La solution qu'on a trouvée est qu'il dresse une pouliche volante ou un aigle géant.

On trouve ça où? J'ai jamais vu ça à l'animalerie.

Et les pouliches volantes, elles sont soit roses, mauves ou bleu poudre. Y'a pas un gars qui voudrait grimper là-dessus de crainte de voir sa virilité s'évaporer.

Et les aigles géants, ça mange quoi? Des vaches? Des rhinocéros? Et s'ils passent par-dessus un parc où y'a des personnes âgées qui jouent à la pétanque, est-ce qu'ils vont essayer de les attraper avec leurs énormes serres?

C'est dangereux, jouer à la pétanque. On ne le dira JAMAIS assez.

Et ces deux bêtes volantes, faudra leur mettre des couches, non?

Arghhh! Trop de questions!

(…)

Pour me changer les idées, je vais finir de raconter «Les extraordinaires aventures de Namasté à l'épicerie».

Révise ton testament et assure-toi d'avoir effacé l'historique de ton navigateur Web, public en délire, parce que tu risques de ne pas en sortir vivant (hein?!).

Après ma rencontre «fortuite» avec Alexandre qui m'est venu en aide dans le processus très complexe et hasardeux d'échanger des contenants d'aluminium de boisson gazeuse contre de l'argent – pour mes efforts effrénés, j'ai reçu un mirobolant 65 sous –, il était temps, enfin, d'entreprendre mon épopée.

Alors que je m'apprêtais à rejoindre Fred, à qui j'avais demandé de commencer les emplettes, j'ai constaté qu'il était toujours au même endroit… mais DANS le panier d'épicerie.

À l'endroit où on assoit les enfants, face au parent qui conduit. 😊

Affirmer que Fred est un grand enfant et qu'il a quatre ans d'âge mental, je suis d'accord.

Mais il reste qu'il a un corps d'homme.

En me voyant approcher, il m'a fait de grands signes des bras.

– Aide-moi, je ne suis pas capable de sortir.

C'était comme si je venais d'assister à un tour de magie impressionnant. Comme si, sous mes yeux, un homme avait *dézippé* sa peau, l'avait retirée et un nain en était sorti. (Hum, *weird*.)

– Comment t'as fait pour faire passer tes jambes? C'est... impossible.

Un panier d'épicerie, ça a des roulettes, c'est instable. Je n'arrivais pas à me figurer comment Fred était parvenu à passer ses jambes dans les ouvertures sans tomber et se fracasser le crâne.

– As-tu eu de l'aide, genre d'une grue?

– Non. Mais là, j'ai mal et je ne sens plus mes jambes.

– Sincèrement, mon grand frère, c'est la première fois qu'en même temps, tu me fais honte et tu m'impressionnes. Je suis présentement déchirée entre ces deux sentiments. Comme si je devais aller chercher avec mes dents une réglisse rouge dans une fondue au chocolat.

Fred bougeait comme s'il était prisonnier d'une camisole de force.

– Nam, arrête de parler et sors-moi de là.

– Pourquoi t'as fait ça, Fred? Pourquoi?

– Pour le *fun*. Aide-moi.

J'ai mis mes bras autour de sa poitrine et j'ai tiré vers le haut. Rien n'a bougé.

J'ai essayé trois autres fois et le seul résultat concret a été de sentir la mauvaise haleine de Fred.

J'ai fait trois pas vers l'arrière et j'ai bouché mon nez.

– C'est fou comme tu pues de la *yeule*. Comme si ta langue était morte depuis deux semaines et était en état de décomposition avancée.

– Ce sont les biscuits au bacon qui font ça. Je vais essayer d'en trouver une autre sorte, j'ai de la difficulté à les digérer.

Je t'entends, public en délire, te demander : « De quessé, des biscuits au bacon ?! » Et, la question suivante, inévitable : « Trop *cool*; c'est gras, c'est salé et ça vient d'un cochon tout rose avec la queue en tirebouchon qui fait groin-groin : où je peux en acheter ? »

C'est parce que j'ai oublié de te mentionner que mon frère a commencé à manger les biscuits de Youki.

Quand je l'ai aperçu en flagrant délit de crime alimentaire, il m'a avoué qu'il était devenu accro aux biscuits pour chiens.

La première fois qu'il en a goûté un, c'était par « accident ».

Je lui ai répondu :

– Comment ça peut être un accident ?! Sur la boîte, il y a la photo d'une grosse tête de chien.

– Sur la boîte des Rice Krispies, il y a trois nains.

– Ce sont des lutins. T'essayeras de trouver des petites personnes qui peuvent prendre leur bain dans un bol de céréales.

– Les nains sont magiques, Nam. Ils peuvent faire grossir tous les objets pour les adapter à leur taille. Ça devrait être le contraire, mais bon, j'imagine que c'est un bogue de l'évolution. Et la boîte de Fruit Loops, Nam, est-ce que, parce qu'il y a une perruche dessus, ça veut dire que y'a que les perruches qui peuvent en manger ?

– C'est pas une perruche, c'est un toucan.

– Perruche, toucan, l'important est que si je suis perdu dans la forêt tropicale, je vais me sentir moins seul parce que je vais pouvoir leur faire la conversation.

– De quoi tu parles, Fred ?! Ce ne sont pas des perroquets.

Mon frère a regardé à gauche et à droite, puis m'a déclaré, sur un ton de confidence :

– Ce sont des perroquets, Nam. C'est juste qu'ils sont déguisés parce qu'ils ne veulent pas finir leur vie sur l'épaule d'un pirate.

J'ai cessé de parler pendant deux ans, puis, de retour dans le monde des vivants, j'ai relancé Fred :

– De toute façon, ça ne tient pas, ton argument. C'est écrit sur la boîte : « Votre compagnon canin en raffolera ! »

– J'ai aucune idée de ce que veut dire le mot « canin ». Ni le mot « raffoler ». Et puis, tu lis ce qu'il y a sur les boîtes, toi, avant de manger ?

– Euh, oui. C'est ce qui fait la différence entre se nourrir de riz ou de sacs à ordures.

– Ahhh ! Donc ça se mange, des sacs à ordures. Je me disais justement que ça sentait pas mal bon.

Je n'ai rien répliqué mais, le lendemain matin – hasard ou non –, la boîte de sacs à ordures était vide et mon frère faisait des rots à saveur de plastique.

(…)

Saveur plastique, me semble que ça ferait un *cool* nom pour un groupe de musique.

C'est un bon départ, ne me reste plus qu'à apprendre à jouer d'un instrument. Siffler et claquer des doigts ou imiter le bruit d'un écureuil, est-ce que ça compte ? 👽

(…)

Retour à l'épicerie avec mon frère de 16 ans coincé dans un compartiment d'enfant de 4 ans.

– Pas de ma faute si je *puzes* de la *yeule*, il a dit.

À cet instant, une dame très âgée (genre 35 ans) est passée à nos côtés et nous a déclaré :

– Franchement, les jeunes. On ne dit pas gueule, on dit bouche. Les animaux ont des gueules.

– C'est parce que vous ne connaissez pas mon frère, je lui ai rétorqué. Il a une gueule. Il mange des biscuits pour chiens.

Scandalisée, elle s'est écriée :

– Oh ! Grossier personnage !

Et elle a quitté les lieux, même si elle venait tout juste d'entrer dans l'épicerie ; elle s'est sûrement dit qu'elle ne remettrait plus jamais les pieds dans un endroit fréquenté par un énergumène comme mon frère qui se nourrit de gâteries pour chiens et qui souffre d'un type rare de déformation qui fait en sorte qu'il est né avec un panier d'épicerie fusionné au derrière.

Ces maladies congénitales, quel mystère !

(…)

Je suis fatiguée. C'est l'heure du dodo.

Problème de brûlements d'estomac, Godzilla ?

Nomxox

Publié le 5 février à 12 h 40
Humeur: sur les dents

> Menace jurassique

Bonne nouvelle, je ne me suis pas fait réduire en bouillie après avoir été sauvagement tabassée.

Mauvaise nouvelle, paraîtrait que Valentine a donné l'ordre à un membre de sa famille de me briser la bouche en une multitude de fragments pour me faire payer mon attitude outrecuidante à son égard.

La personne en question s'appelle Godzilla.

Je suis allée jeter un œil sur le Net et Godzilla est un dinosaure géant et mutant recouvert d'écailles qui écrase tout sur son passage. Il a aussi une queue puissante et des épines dorsales. Des fois, il crache une espèce de laser.

J'ai vraiment hâte de faire sa connaissance.

Faudra que je trouve un moyen autre que la poignée de main pour le saluer, parce que tout comme le tyrannosaure, il a de tout petits bras (Godzilla va donc se faire épiler les sourcils chez une esthéticienne, le coquet).

Je ne sais pas si c'est une fille ou un garçon ou, euh, un dinosaure revenu d'entre les morts après des essais nucléaires.

Je connaissais un peu le personnage parce que je l'ai croisé lors de mes recherches pour le film de mon frère, *L'attaque du nain géant*. Godzillou (c'est le surnom que je lui ai donné, question de lui conférer un côté sucré) est un *kaijû*, un monstre du cinéma japonais.

Fred et moi, on a justement discuté de notre projet ce matin.

– J'ai pensé, cette nuit, a dit mon frère en léchant le caramel sur le manche de son couteau.

Tanné que Mom lui dise qu'il allait se couper la langue s'il continuait à pourlécher les lames des couteaux – on s'entend pour dire qu'il faut *frénétiquement* passer sa langue sur une lame pour réussir à la couper; c'est quasiment moins compliqué de faire du feu en frottant deux boules de neige ensemble –, mon frère a commencé à beurrer ses tranches de pain avec les manches des couteaux. Comme ça, il ne risque pas de se couper quelque chose !

– T'as «pensé»? je lui ai demandé. Je ne sais pas pourquoi, mais je suis soudainement terrifiée.

– Arrête de niaiser. Le film, on devrait l'appeler *L'attaque du nain géant 2*.

– Pourquoi? Y'a pas de numéro un.

– Je sais. C'est une tactique de marketing. En voyant le titre, les gens vont se dire : «Le premier était tellement bon qu'ils en ont fait un deuxième.»

– Hum... C'est pas une arnaque ?

– Mais non. Tu penses que ce serait mon genre de vouloir tromper mon public? Si quelqu'un nous en parle, on n'a qu'à dire que c'est une erreur d'inattention.

– Si on fait une suite, on devrait appeler ça *L'attaque du nain géant 2 – La revanche*. Ou *Le retour*. Ou *Le commencement*.

Ce fut comme si Fred avait été frappé par un éclair (pas de génie, un vrai: ses cheveux ont fait de la fumée).

– Je l'ai! Qu'est-ce que tu dirais de *L'attaque du nain géant 2 – Le retour de la revanche du commencement*?

– C'est nul.

– Génial! Alors ce sera ça. J'aurais besoin d'un scénario, genre, hier. La préproduction est bien entamée, j'ai des crédits d'impôt et je suis parvenu à m'entendre avec le personnage principal.

– La petite personne?

– Non, non, le chien.

– Le chien? Quel chien?!

– Je ne t'ai pas dit que le nain allait se déplacer sur un chien?

– Euh, non.

– Alors je te le dis. J'ai un ami qui va nous passer son saint-bernard. Il s'appelle Jérôme.

– Ton ami?

– Non, le chien. Mon ami s'appelle Fido.

– Vraiment?

– Hein?

– Quoi?

– Quoi?

– Hein?

Une autre conversation qui s'est terminée sur un malaise.

(…)

OMG! Godzillou est dans l'école et il paraît qu'il me cherche!

c'est plein de vitamine K

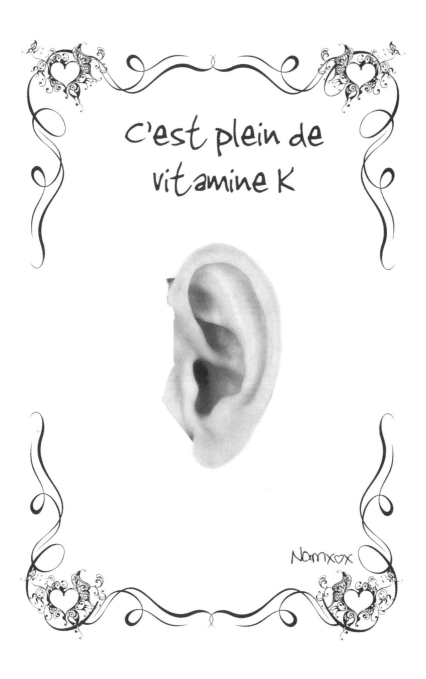

Namxox

Publié le 5 février à 16 h 10
Humeur : traquée

> Échappé belle

J'ai vu Godzilla et plus question de l'appeler God-zillou, y'a vraiment rien de *cute* dans ce croque-mitaine ! («Croque-mitaine : personnage maléfique dont on parle aux enfants pour leur faire peur et les rendre plus sages.» J'avoue que c'est un super titre d'un de mes romans d'horreur !)

C'est pas pour l'insulter, mais après avoir fait une analyse en profondeur de la chose, je n'arrive toujours pas à déterminer s'il s'agit d'une fille ou d'un garçon.

J'ai essayé fort, fort, fort.

C'est une personne plutôt grande (une tête de plus que moi), plutôt grosse, qui porte des jeans et un t-shirt ample. Oui, elle a des seins, mais même les gros gars en ont. J'ai pas osé soulever son chandail pour voir si il ou elle portait un soutien-gorge.

Comme objet de mode, l'individu porte un collier de chien recouvert de piquants en métal.

Cette personne porte une casquette, a les cheveux mi-longs et y'a rien dans ses traits qui m'indique son genre. Pas même son monosourcil (impressionnant) aussi épais que la fourrure d'un ours en hiver.

C'est peut-être sa manière de se protéger du froid.

Quand le printemps arrive, il ou elle mue du mono-sourcil.

C'est peut-être une chenille ?

Un jour, ce truc hirsute qui grouille va se transformer en papillon !

Je suis perplexe.

Je ne peux pas croire que Valentine a demandé à un gars de régler mon compte. Ou à une fille, si Godzilla en est une... Ouche. Le seul concours de beauté qu'elle pourrait gagner est celui de Miss Abominable femme des neiges. Et ça, c'est parce qu'elle aurait dévoré toutes les autres concurrentes.

Peut-être que c'est une personne qui a un « bel intérieur », qui sait ?

Je le lui souhaite, parce que l'extérieur aurait besoin de rénovations. En fait, faudrait tout démolir et reconstruire. Et décontaminer le terrain.

Je suis contre la méchanceté, mais vu que personne ne me lit, je me permets de me libérer de mes angoisses. J'ai besoin de l'écrire : elle est *laitte* en *ta*.

☹

Juste de devoir la regarder est suffisant comme punition. Beaucoup plus efficace et traumatisant que de recevoir une raclée.

En fait, on pourrait même parler ici de cruauté et de châtiment non proportionnel à la faute commise. Mais pour le bien de ma cause, je vais encaisser et me taire.

J'étais dans le local des Réglisses rouges ce midi à préparer le prochain numéro de *L'Écho des élèves desperados* quand Kim est venue m'avertir que la Bête était dans l'école et qu'elle me cherchait.

– Faut que tu te caches, elle m'a dit, paniquée.

J'ai pensé qu'elle blaguait.

– Relaxe, *Babe*. Si elle veut circuler dans l'école, elle doit être maintenue en laisse et porter une muselière, non?

– Je te niaise pas, Nam. La personne est là pour toi et elle te cherche.

Mon cœur s'est mis à danser le twist.

– Pour me battre?

– Je sais pas. Peut-être. Sûrement pas pour obtenir ton autographe.

– Je dois fuir!

– Tu ne peux pas sortir du local, c'est trop dangereux. Tu dois te cacher ici.

– Ici? Où?

Le local des Réglisses rouges est petit. Il y a une bibliothèque, un bureau, une chaise et un canapé pourri et défoncé qui couine comme un chien qui veut faire pitié quand on a le dos tourné.

Aucun endroit pour se cacher.

Kim a regardé à gauche et à droite, puis elle a levé la tête.

– Le plafond. Cache-toi au plafond. Quand la Bête va entrer, elle va regarder partout, sauf là. Ça marche dans les films.

– Dans *Spider-Man*, oui! J'ai pas le temps ni le goût de me faire piquer par une araignée radioactive!

Kim a jeté un coup d'œil dans le corridor.

– La personne approche!

J'ai poussé un cri de désespoir mâtiné de panique.

– Ahhh!

J'ai essayé de me cacher sous le bureau, mais comme il fait face à la porte, ça allait être comme évident que j'étais là.

J'ai voulu me faufiler sous les coussins poisseux du canapé, mais les 30 années d'accumulation de poussières, graines de biscuits, mines de crayon et autre substance qui ressemble étrangement à un crachat avec des pattes (ewww!) ont hurlé à la vue de la lumière et m'ont fait comprendre que je n'étais pas à ma place.

J'avoue, avec humilité, que j'ai tenté de grimper sur les murs et de me réfugier au plafond. 😔

À mon grand étonnement, ça n'a pas fonctionné.

C'est à ce moment que Godzilla est entrée dans le local.

Kim a accroché un sourire à son visage et lui a dit:

– Salut, bienvenue au local des Réglisses rouges; si tu as des embêtements, si tu vis du harcèlement, si t'as des problèmes familiaux ou si ça te pique *full* entre les deux jambes, on peut t'aider.

– Namasté *est-tu* là?

– Euh...

Kim s'est retournée vers moi qui tentais toujours de grimper au mur.

– C'est elle, Namasté? a demandé Godzilla.

Je ne me suis pas laissé déconcentrer : j'ai continué mon impossible escalade, mais en y mettant plus de vigueur, comme un chat qui tente de sortir d'un bain rempli d'eau.

– Oui, euh, non, en fait, elle, c'est Aglaé.

Je me suis soudainement retournée et j'ai dit, avec une voix de fille qui n'avait que trois mots dans son vocabulaire («papa», «maman» et «guacamole») :

– Aaaglaééé !

J'ai laissé un peu de salive sortir de ma bouche et je me suis dirigée vers Kim en marchant comme un chimpanzé.

– Kiiim ! j'ai fait, tout en flattant son visage. Douuux.

– Donc, euh, est-ce que tu sais où je pourrais trouver Namasté ?

Kim a fait non de la tête.

– Je sais pas de qui tu parles.

C'est à ce moment-là que j'ai eu l'idée de téter le lobe d'oreille de ma meilleure amie.

– Miam, miam, j'ai dit.

Devant ce spectacle affligeant, Godzilla est partie.

Dès qu'elle a été hors de notre vue, Kim m'a poussée et a essuyé son pauvre lobe d'oreille qui avait subi l'assaut de ma bouche.

– Qu'est-ce que tu fais ?! Mon oreille, c'est pas un pis et t'es pas un veau !

Godzilla a refait surface. Tout de suite, j'ai pris le petit doigt de Kim, je me le suis mis dans la bouche et j'ai commencé à le sucer et à vociférer : «*Popsicle* à l'huuumaiiin !»

– Ouais, euh, je voulais savoir, t'as parlé de quand ça piquait là, tu sais ce qu'il faut faire pour que ça arrête ?

Kim s'est approchée de la bibliothèque, a attrapé le premier tract qu'elle a vu et l'a donné à Godzilla qui est partie sans rien dire.

Elle a retiré son doigt de ma bouche.

– T'es dégueulasse, Nam. C'est quoi ton problème avec ta bouche qui aspire tout ce qui passe ?

J'ai ignoré sa question parce que la réponse m'aurait fait trop mal. Mettons.

– Tu lui as donné un dépliant sur les pellicules.

– Je sais. Je voulais juste qu'elle disparaisse.

– Mais là, elle va penser que ses démangeaisons sont dues à ça. Elle va croire qu'elle souffre d'une simple désorganisation superficielle des cellules du cuir chevelu.

– Je m'en fous. Ne refais plus jamais ça, Namasté, d'accord ? Tu m'as fait peur, j'avais juste le goût de me jeter dans les bras de Godzilla pour qu'elle me protège.

– Ça a fonctionné, non ?

– C'est sûr. C'est fou comme t'as pas de fierté. Dorénavant, je vais toujours regarder mes doigts comme s'ils étaient des *popsicles* à l'humain. Je ne savais pas que j'avais les mains aussi froides. C'est plutôt troublant.

– Tu veux que je te dise ce qui est vraiment très troublant?

– Non.

– Je vais te le dire quand même. Le lobe de ton oreille goûte le brocoli.

– Tu m'écœures.

– Regarde dans nos prospectus, y parlent peut-être de ce problème gênant.

Parlant d'être écoeurée, c'est l'heure du souper.

Bye.

Ça doit être touchant
quand ça se transforme en cocon

Namxox

Publié le 5 février à 20 h 32
Humeur: inquiète

> ## La spontanéité, pas toujours une bonne idée

C'est dur de travailler avec l'idée qu'un herma-phrodite – une personne qui a les deux sexes et qui souffre de violentes démangeaisons entre les genoux et le nombril – nous en veuille.

Après l'école, Godzilla m'attendait. J'ai réussi à m'échapper en me fondant dans la foule d'élèves qui sortait de l'école, mais cette méthode du caméléon ne fonctionnera pas toujours.

Kim a mis au courant Monsieur M. ce midi qu'il y avait un intrus dans l'école. Les non-élèves n'ont pas le droit d'y être. Dès qu'on a retrouvé Godzilla, un dres-seur de lions avec une chaise et un fouet l'a chassée de l'édifice après l'avoir fait sauter dans un anneau de feu et rugir sur un tabouret.

Comme je l'ai déjà écrit, à l'intérieur de l'école, je suis relativement en sécurité.

À l'extérieur, je suis une pauvre proie sans défense.

D'autant plus que j'ai reçu un texto en début de soirée qui m'a appris que Mathieu n'était plus dans mon équipe.

Un policier a appelé cet après-midi à la maison et c'est Pop qui a répondu. Le policier lui a demandé si, à telle date, j'étais avec Mathieu. Pop a dit non, je n'étais pas avec lui puisque j'étais en voyage, à des milliers de kilomètres.

Je suis contente que ce soit Pop qui ait réglé la situation. Je ne voulais pas être impliquée dans ce grave mensonge.

Sauf que Mathieu est fâché contre moi. Il dit que parce que je ne l'ai pas «aidé», il est dans le pétrin.

Mathieu : C'était trop te demander de me soutenir???

Moi : Mathieu, je t'ai dit que c'était mon père. Je n'ai pas parlé au policier.

Mathieu : Ouais, c'est ça.

Moi : Un instant, tu penses que je te mens?!

Mathieu : Je sais pas.

Moi : Mon père était à la maison cet après-midi, c'est lui qui a répondu. Et je t'avais dit que les dates ne concordaient pas. C'était IMPOSSIBLE que je sois avec toi.

Mathieu : Le policier n'aurait jamais su que t'étais ailleurs. Il n'aurait pas vérifié.

Moi : Pourquoi t'as pas demandé à Valentine de te couvrir?

Mathieu : Elle pouvait pas.

Moi : Pourquoi?

Mathieu : Parce que.

Moi : Parce que quoi?

Mathieu : Je pensais que tu m'aimais.

Moi : Quoi ?!

Mathieu : Laisse faire.

Moi : Non, je ne laisse pas faire. Je suis quoi, pour toi ? Une marionnette ?

Mathieu : Laisse faire.

Moi : Tu ne peux pas faire ce que tu veux avec moi juste parce que je t'aime. Je ne suis pas un torchon dont on se sert pour essuyer ses dégâts. J'en ai marre que tu me manipules. Tu te sers de moi et ce que j'ai en retour, c'est de l'ingratitude.

Je ne sais pas s'il m'a répondu parce que j'ai éteint mon téléphone cellulaire.

C'est en écrivant à Mathieu que j'ai réalisé que j'étais pour lui un personnage de jeu vidéo qu'il pouvait contrôler avec une manette et qu'il tirait son énergie de l'affection que j'ai pour lui.

Ça m'a frappée en plein visage, comme si on venait de me gifler (vu que je suis une experte de la baffe, j'imagine qu'il s'agit d'un retour du balancier).

Ce n'est pas rien de me demander de mentir pour lui sauver les fesses !

Et parce que son plan s'est écroulé – je l'avais prévu parce qu'il était ridicule –, il a osé me manipuler sentimentalement.

C'est dégoûtant.

Stratégiquement parlant, ce n'est peut-être pas une bonne idée de me fâcher contre lui au moment où j'ai besoin de tout son soutien.

Si j'avais eu assez de temps pour user de mes grands talents de manipulatrice, il aurait pu être un allié de taille et me venir en aide si le monosourcil de Godzilla avait tenté de m'assassiner.

(Ouais, je sais, je me donne le droit de manipuler les autres, mais personne n'a le droit de le faire envers moi ; on appelle ça avoir des contradictions : j'ai vérifié, ce n'est pas une maladie gênante de fille pas propre, c'est *parfaitement* humain.)

Je dois apprendre à être moins impulsive, à penser avant d'agir plutôt qu'après.

Ça me sauve la vie, des fois. Si j'avais réfléchi aux implications de téter le lobe d'oreille à saveur de brocoli de Kim, je ne l'aurais jamais fait.

Idem pour le *popsicle* aux huuumains.

Fred et Tintin sont là pour me protéger, bien entendu. Mais il me faudrait quelqu'un de plus puissant, de plus intimidant, genre un prince charmant sur un cheval qui m'attendrait tous les jours à la fin des classes, armé d'une épée qui scintille au soleil.

Toute ma prime jeunesse, c'est ce que les films de princesses m'ont promis. Et Zeus sait à quel point j'en ai regardé !

J'ai eu le cerveau lavé. On m'a fait croire que je vivais dans une réalité qui n'existe pas où les hommes ont de la classe, sont braves et ne sont pas obsédés par certaines parties du corps de la femme (non, je ne parle pas du philtrum, l'espace entre le nez et la lèvre inférieure – ouais, je connais des mots que je n'utiliserai jamais de ma vie, quelle tragédie).

En réalité, les hommes ont plein de failles, ils dégagent des odeurs suspectes et en sont fiers, et lorsqu'ils sont près d'un cheval, soit ils s'enfuient parce qu'ils pensent qu'il va les mordre (ils croient peut-être que le cheval les voit comme une carotte géante, qui sait?), soit ils tentent d'entrer en communication avec lui en hennissant (Hiiiiii!), soit ils rient à se rouler par terre en raison de ses organes génitaux démesurés.

C'est ça, un vrai gars.

Mais y'a tout de même au fond de moi une petite fille qui croit que le prince charmant existe.

Et que c'est moi qu'il va épouser.

Parce que je suis la plus belle, la plus fine et la plus malléable des conditions atmosphériques extrêmes.

Oui, oui, je suis la plus malléable.

(…)

J'ai commencé à travailler sur le prochain *ÉDÉD*.

J'ai décidé que ça allait être un spécial anti-Saint-Valentin. Parce que l'amour, des fois, c'est *beurk* et il faut que ça se sache.

J'ai fait des recherches et j'ai trouvé des informations intéressantes.

Par exemple, un conte de mes *buddies* Jac et Wil (Jacob et Wilhelm Grimm), les créateurs, entre autres, de Blanche-Neige, Cendrillon et du clown Croquette qui a un nez qui fait fouïtt-fouïtt quand on appuie dessus.

Ça porte sur une histoire d'amour tout croche qui se termine assez mal merci.

Le titre est *Le Serpent noir* et ça raconte l'histoire d'un jeune soldat qui tombe amoureux d'une princesse. Il apprend que pour l'épouser, il doit accepter d'être enterré vivant avec elle si elle décède avant lui (c'est pas de l'amour pur 24 carats, ça?).

Follement épris d'elle, il accepte, n'ayant aucunement l'intention, j'imagine, de mourir après elle.

Coup de théâtre qu'on n'avait pas du tout vu venir: elle meurt peu de temps après le mariage.

Le jeune soldat est enterré avec elle avec un peu d'eau, un peu de nourriture et un téléphone intelligent pour jouer à des jeux et pour filmer sa pauvre femme bouffée par des insectes nécrophages – ça va faire une vidéo intéressante pour Ioutoube.

Un serpent noir passe par là, alors qu'il fait de la marche rapide (il veut se débarrasser de sa bedaine de bière) et offre au soldat une feuille magique. Ce dernier s'en sert pour ressusciter la princesse qui passe les jours suivants à se débarrasser des horribles bébittes qui avaient fait d'elle son repas.

Comment son épouse le récompense-t-elle? Elle le quitte pour un pirate et son perroquet sur l'épaule (il n'a pas voulu se déguiser en toucan ou en perruche parce qu'il se disait que ce n'était qu'aux autres que ce genre d'incident de malheur pouvait arriver). Et son époux est jeté en pleine mer. N'ayant jamais accédé au niveau Loutre de mer dans ses cours de natation, il se noie.

Tu parles d'une biche (la loutre de mer, pas la princesse)!

Alors que le serpent noir fait de la plongée sous-marine (sa bedaine de bière ayant disparu, il ne flotte plus), il croise de nouveau le soldat et le fait renaître d'entre les morts à l'aide d'une autre de ses feuilles magiques.

Le soldat réapparaît et exécute la princesse et le pirate.

Fin.

Ce qui arrive au perroquet est un mystère. Certaines personnes affirment l'avoir aperçu dans une banlieue de Berlin; il serait devenu laitier.

Et le soldat, eh bien, c'est un zombie. Il se nourrit de cerveaux humains et fait de la figuration dans des films d'horreur poches.

Mouais. Jac et Wil ne se sont pas trop forcés. Ça manque de belles-mères mesquines et de nains.

Je reviens si tu le mérites, public en délire.

Tu me brises le coeur

Publié le 6 février à 0 h 34
Humeur : déconfite

> Menteur

Je suis angoissée.

Quand je me couche, je pense trop et ça m'empêche de dormir.

Pop vient d'entrer dans la maison après avoir passé la journée à l'hôpital et je crois qu'il a bu.

Je ne comprends pas. Il m'a dit qu'il allait arrêter. Je n'ai pas halluciné !

Il me l'a promis. Et je l'ai cru parce qu'il avait l'air sincère.

Je suis déçue de lui.

Ça me blesse.

Il m'a menti. Mon père !

Il connaît les ravages de l'alcool et sait que ça nous affecte ; pourquoi il continue ?! POURQUOI ?!

Je suis fâchée contre lui. Ça m'enrage. C'est tellement égoïste.

Oui, l'alcool est une maladie. Oui, c'est une dépendance.

Mais j'ai lu partout qu'il n'y a que LUI qui peut décider d'arrêter. Si on le traîne de force en thérapie, ça ne va pas fonctionner. Il faut qu'il prenne la décision par lui-même.

Pour cela, toujours d'après ce que j'ai lu, il doit atteindre «le fond du baril». (Baril de quoi? De vin? De bière? De lâcheté?)

Il est à quelle profondeur, ce fond? Est-ce que c'est long, avant de l'atteindre?

Je suis aussi en colère parce que je voudrais l'aider, mais je ne peux pas.

C'est sûr que je peux lui parler, mais mes paroles vont entrer dans une oreille et sortir par l'autre. Pop est intelligent, il sait que l'alcool est un poison. Et il a de douloureux souvenirs de son père qui l'a battu.

Et pourtant... Pourtant...

Je vois des publicités de bière où tout le monde est heureux et d'autres qui montrent des beaux gars et des belles filles en train de boire de l'alcool fort et ça me lève le cœur.

J'aurais le goût d'entrer dans un bar et de détruire toutes les bouteilles d'alcool avec une mitrailleuse.

Mais bon, j'ai pas l'âge légal.

Et j'ai pas de mitrailleuse.

Et c'est pas un peu dangereux? Faudrait que je consulte les règlements qui portent sur l'anéantissement de vins et spiritueux dans un établissement où l'on sert des boissons alcoolisées à l'aide d'une arme à feu individuelle à fonctionnement automatique ayant la capacité de tirs en rafale soutenue.

Il y a sûrement des précautions à prendre.

Au moins d'avertir le propriétaire des lieux quelques heures à l'avance.

Question de savoir vivre.

Et moi, je sais vivre. Oh oui. (Je dis ceci alors que je montre de l'index gauche mon toutou souris bleue et que je ris de lui parce qu'il est handicapé [Youki lui a arraché un œil] et que je me fouille dans le nez à l'aide de mon index droit à la recherche d'Esteban, de Zia, de Tao et des Mystérieuses cités d'or.)

(...)

Avant que les détails de mon périple à l'épicerie ne s'estompent et que ma guérison psychologique ne débute, les voici donc.

Mon frère est coincé dans le panier d'épicerie, j'ai beau tirer le plus fort possible, rien à faire, il ne bouge pas.

Je me plains de son haleine fétide, qu'il met sur le dos de sa consommation de biscuits pour chiens au bacon. Je pense plutôt qu'il ne sait même pas ce qu'est une brosse à dents; la dernière fois que Mom lui a demandé s'il fallait la changer, il a dit qu'elle était en parfait état et il lui a montré la brosse qui sert à nettoyer la cuvette des toilettes.

– C'est digne du Cirque du Soleil, ton exploit. Tu pourrais faire le tour du monde avec ce numéro.

– Sors-moi de là, il m'a dit.

– Comment? Le seul moyen auquel je pense est un peu draconien.

– C'est quoi?

– Te couper les jambes.

– Vas-y, je suis prêt à tout.

– Avec quoi? Mes dents?

– Va demander de l'aide, ça presse.

Je suis retournée voir la commis à qui j'avais dit que la machine à manger les canettes était pleine.

– Y'a mon frère qui est pogné dans un panier – non, je ne connais pas son truc, pour le savoir, il va vous falloir regarder ce que les caméras de sécurité ont filmé. Vous n'auriez pas une scie ou quelque chose de coupant pour lui sectionner les jambes? La machine à trancher le jambon, peut-être?

Avant que la commis, affolée, ne compose le 9-1-1, Alexandre, mon héros, est réapparu.

– Ça va?

– Ouais, à part mon frère qui a été mordu par un de tes paniers d'épicerie. Vous les nourrissez, des fois?

– Je comprends pas.

– Moi non plus. Suis-moi.

Wolfie s'est mis à rire aux éclats en voyant la situation embarrassante dans laquelle Fred s'était empêtré.

– Wow. J'ai déjà vu un enfant avoir la tête coincée dans une des ouvertures pour les jambes, mais ça, jamais.

– Ne lui donne pas des idées! j'ai répondu.

– Alex, viens m'aider. Je ne sens plus mes jambes.

– Très bien, j'ai fait. La première étape de l'amputation consiste à couper la circulation du sang dans les membres que l'on s'apprête à retirer.

Même si Wolfie est un solide gaillard, il n'a pas pu mieux faire que moi.

– Ta sœur a raison, faudra opérer. Je vais aller me laver les mains.

– Arrête de niaiser. Il n'y a pas des pinces dont on pourrait se servir pour couper les tiges de métal?

– Peut-être. Je vais voir ce que je peux faire.

Wolfie a disparu.

J'ai saisi un autre panier et j'ai pris la direction de l'allée des fruits et des légumes.

Ça a fait réagir mon frère.

– Hey! Qu'est-ce que tu fais?!

Je me suis retournée.

– Hey? C'est moi que tu appelles comme ça?

– Bah ouais, qui d'autre?

– Mon nom n'est pas «Hey». C'est Reine Namasté. Tu dois me vouvoyer et si tu me regardes directement dans les yeux, tu pourrais te faire guillotiner.

– T'es la Reine des égouts, oui.

– Je te demande pardon? Tu dois me traiter avec les plus grands égards.

– Pfff.

J'ai relevé la tête, digne, et j'ai poursuivi mon chemin.

– Woh! Woh! Woh! Tu ne peux pas me laisser ici!?

– Pourquoi pas?

– Parce que c'est humiliant! Y'a plein de monde qui me voit!

J'ai pris un des sacs réutilisables dont on se sert pour déposer nos emplettes et je le lui ai lancé.

– Tiens, mets ça sur ta tête.

Je n'avais pas fait deux pas qu'il m'interpellait de nouveau.

– Nam, *come on*!

– Reine Namasté. Et tu me vouvoies, vulgaire paysan.

– Nam...

– Bye.

– D'accord, d'accord. Reine Namasté, ne me laissez pas seul.

J'ai eu pitié de mon grand frère.

Oui, mon cœur est grand. Et oui, j'aide mon prochain sans (presque) rien demander en retour.

J'ai donc parcouru le magasin avec mon frère assis dans le panier, comme s'il s'agissait d'un enfant. 👀

C'était un moment magique, une conjoncture aussi rare que la découverte d'un nouveau continent. Pendant un instant, mon frère et moi avons partagé une connivence d'une perfection telle que rien n'aurait pu nous affecter, pas même les regards ahuris qu'on a attirés.

Y'a même des clients qui nous ont pris en photo; cela signifie qu'actuellement, y'a une ou des photos qui circulent sur le Net de nous deux avec la légende : «Les abus que subissent les paniers d'épicerie sont intolérables!»

Et, présentement, il y a quelqu'un dans le monde qui vient de démarrer une association venant en aide aux paniers et qui, assis à l'entrée d'un commerce quelconque, ramasse de l'argent dans une de ces grosses bouteilles de distributrice à eau parce que chaque dollar peut faire une différence.

Et que fait-il avec tout l'argent récolté au bout de la journée ?

Il s'achète de la drogue ! 😲

Au diable les paniers d'épicerie maltraités !

Quel sans-cœur.

(...)

Ce que j'ai vécu avec mon très cher frère est un souvenir que je garderai toute ma vie gravé dans ma mémoire.

Et pas pour les bonnes raisons.

Même les homards dans leur aquarium ont battu de la queue en nous voyant.

(Parlant des homards, ils font pitié! Pauvres choux! J'aurais voulu tous les acheter et leur rendre leur liberté, mais l'océan le plus proche est à 1 000 kilomètres. Et je me voyais mal les libérer sur un trottoir ou les déposer dans la fontaine du centre commercial; ils auraient pu s'étouffer avec les sous noirs qui traînent dans le fond.

Je pense que mourir ébouillanté est la plus raisonnable des solutions.)

Il y a une chose que l'on doit savoir avant de faire son épicerie. Deux, en fait.

Premièrement, on ne peut pas la faire nue. Porter des babouches ou un bandeau bleu-blanc-rouge en ratine autour de la tête pour empêcher la sueur d'atteindre nos yeux, ça ne compte pas.

Deuxièmement, il ne faut pas la faire l'estomac vide, parce que tout nous tente.

J'étais tellement affamée que j'ai failli croquer dans une espèce de concombre recouvert de pustules qu'on appelle la margose. C'est super amer, n'a aucune qualité, mais j'étais guidée par mon instinct de survie.

Mon frère, c'est un animal, il n'a pas pu se retenir et il a englouti des raisins, jusqu'à ce que je lui fasse remarquer qu'il s'agissait de décorations en plastique.

Il a continué en prétendant que le pouvoir de son subconscient allait les transformer en vrais raisins. Ou quelque chose du genre.

Par bonheur, on a croisé une table de dégustation de saucissons où une gentille dame nous a offert des échantillons dans un petit contenant en carton.

Après que Fred en eut mangé sept, la dame lui a dit qu'elle voulait en garder pour les autres clients.

Nous nous sommes éloignés et Fred a déclaré :

– J'ai encore faim. On y retourne.

– Fred, elle vient de te dire que t'avais exagéré.

– Elle souffre peut-être d'alzheimer. Peut-être qu'elle ne se souviendra pas de nous.

– L'alzheimer, c'est une maladie de personnes âgées.

– C'est ça que je dis. Elle a quoi, cette femme? Trente, trente-cinq ans?

– Plus âgée que ça. Genre 70 ans. Laisse faire, t'as rempli aujourd'hui ton quota de honte que j'ai pour toi.

J'ai fait trois pas, puis il s'est exclamé:

– Je le sais! On n'a qu'à changer nos voix.

– T'es vraiment un génie, Fred.

Il s'est alors mis à parler avec une voix d'ogre.

– Bonjour, madame, ils ont l'air bons, vos saucissons, est-ce que je pourrais en goûter un ou deux ou quatre ou neuf?

Il a repris sa voix:

– Alors? Elle va n'y voir que du feu.

– Fred, des ados prisonniers d'un panier d'épicerie, il doit y en avoir à tous les mille ans.

– T'as qu'à marcher comme une bossue.

– De quoi tu parles?

– J'ai faim!

Finalement, on a pris un pain croûté. J'ai mangé une extrémité et quand j'ai voulu prendre un autre morceau, Fred avait bouffé toute la mie et il avait glissé son bras dedans.

– Regarde, ça me fait une armure. Mon bras est indestructible.

Ça m'a coupé l'appétit. ☺

(…)

Wolfie est apparu avec des pinces et, quelques minutes plus tard, Fred était libéré.

Le premier geste qu'il a posé, celui dont il rêvait depuis la première seconde de son emprisonnement, a été de danser la claquette.

Wolfie et moi, on a pleuré parce que c'était touchant.

Et parce qu'en faisant bouger ses jambes dans tous les sens, il nous a frappé le nez avec ses pieds.

Mautadit que ça fait mal!

(…)

À la fin, j'avais mis dans le panier des fruits, des légumes, des pâtes, du poisson, de la viande, des craquelins sans sel et d'autres pains à grains entiers.

Fred, pour sa part, s'est contenté de la base afin d'assurer sa survie : des croustilles, des boissons gazeuses, des bonbons, du bacon, de la crème glacée, des mets préparés qu'on peut réchauffer dans un four à micro-ondes et qui, lorsqu'ils en ressortent, ne ressemblent en rien à la photo de la boîte, et des langues de porc dans le vinaigre parce que «je vais m'en mettre une dans la bouche et je vais prendre des photos; ça va faire capoter mes amis, ça va être vraiment *cool*».

Ça a coûté 178,25 $, mais ça a valu la peine. C'était tellement divertissant !

(…)

Écrire me fait vraiment du bien !

Je vais être fatiguée demain matin, mais je me serai au moins débarrassée de cette boule d'angoisse qui m'empêchait de dormir.

Merci au monsieur ou à la madame qui a inventé l'écriture ! (J'imagine que leur nom est M. ou Mme Dictionnaire. Ou M. ou Mme A B C D E F G H I J K L M-N O P Q R S T U V W X Y Z.)

Deux visages

Publié le 6 février à 11 h 56
Humeur: fatiguée

> C'est vendredi!

Pas triste que la fin de semaine arrive.

J'ai croisé Mathieu tantôt, dans le corridor, et il m'a ignorée.

Je crois que c'est vraiment fini entre lui et moi.

Je ne l'aime plus.

Le fait qu'il m'ait impliquée dans son histoire d'enquête policière sans mon autorisation a été la goutte qui a fait déborder le vase.

J'en ai parlé à Kim et elle soutient que je devrais être fâchée contre Mathieu et non le contraire.

Je lui ai souvent dit qu'il devait régler ses problèmes. Peut-être que c'est ce qu'il lui faut pour qu'il réalise qu'il doit changer.

Un peu comme Pop.

Je lui ai demandé ce matin ce qu'il avait fait après l'hôpital et il m'a répondu qu'il était allé joué au billard avec des amis.

Je lui ai demandé s'il avait bu et il m'a rétorqué, un peu vexé, qu'il m'avait dit qu'il avait arrêté.

Mensonge.

C'est comme si j'avais deux papas : le premier est honnête et responsable tandis que l'autre souffre et boit en cachette pour avoir moins mal.

Une personne, deux personnalités.

Docteur Jekyll et Monsieur Hyde.

(…)

J'ai rendez-vous avec monsieur Patrick cet après-midi pour parler de la nouvelle édition du journal. Je suis un peu gênée parce que je lui ai avoué que j'avais le béguin pour lui, mais en même temps, je lui ai dit que tout ça était du passé et qu'il me répugnait.

Namasté, t'as tellement le tour de dire les vraies choses avec doigté. Une vraie diplomate dans l'âme !

Ce matin, j'avais de l'éducation physique, mais comme j'avais oublié mes habits (oups, j'ai omis de mentionner au prof qu'ils n'étaient pas à la maison mais dans ma case), j'ai passé la période assise sur un banc à regarder mes camarades de classe tenter de faire entrer une citrouille qu'il faut constamment faire bondir sinon elle va exploser (j'imagine) dans un anneau métallique suspendu au-dessus de la surface de jeu (on appelle ce jeu étrange les quilles, non ?)

Sont tellement niaiseux, c'est quoi le but, à part de gaspiller de l'eau en suant et user le caoutchouc sous leurs chaussures en le frottant sur une surface dure ?!

Le prof m'a demandé de compter les points, c'était super compliqué ; des fois c'était deux points, d'autres fois, quand le lancer venait de plus loin, trois points. Après quinze secondes de jeu, j'avais complètement perdu le compte. Finalement, j'ai dit que ça c'était fini 478 à –43,5, mais je ne savais plus trop pour quelle équipe ; il y a eu un peu de bisbille, je me suis forcée à pleurer en imaginant Youki mon p'tit chien d'amouuur se faire écraser par un rouleau compresseur, ça a incommodé tout le monde et on m'a laissé tranquille.

J'ai donc passé la période à écrire un article pour *L'ÉDÉD*. Je le recopie ici :

Les filles indisposées dorénavant isolées

Afin de diminuer l'impact négatif des filles qui ont leurs règles sur les élèves, la direction de l'école prendra les mesures nécessaires afin qu'elles n'entrent plus en contact avec eux.

Au fil des siècles et avec l'avancement de la science, nous savons maintenant que le sang menstruel limite la capacité à réfléchir et rend les filles affligées moins efficaces à l'école. Aussi, elles rendent impurs jusqu'au soir toutes les personnes et tous les objets qu'elles touchent.

Voici ce que Monsieur M., directeur de notre école, avait à dire à ce sujet : « Nous avons hésité longtemps avant de prendre cette décision pour ne pas heurter les sensibilités, mais pour le bien de la communauté estudiantine, il fallait imposer des mesures préventives. D'un seul regard, une fille menstruée peut faire mourir des essaims d'abeilles, perdre leur fécondité aux oiseaux, pourrir la viande et rouiller instantanément le cuir et le fer. Notre hypothèse est que le phénomène sanglant que vivent les élèves de sexe féminin à tous les 28 jours approximativement expliquerait, entre autres, le crétinisme des garçons. »

Monsieur M. reconnaît que les femmes n'ont pas le même pouvoir maléfique quand elles n'ont pas leurs règles et que certaines filles menstruées sont plus virulentes que d'autres.

« On verra avec le temps qui sont les adolescentes les plus problématiques et on agira en conséquence », de dire le directeur. Questionné par *L'ÉDÉD* au sujet des mesures que l'école pourrait prendre, Monsieur M. a répondu : « Trois indices : exorcisme, flagellation et poutine italienne. »

Au cours des prochains mois, un registre comprenant le cycle menstruel de chaque élève de sexe féminin sera établi. L'adhésion sera obligatoire.

Dès que l'élève sera réglée, elle sera immédiatement isolée pour ne pas souiller les autres.

Notre école sera-t-elle la première à trouver la solution aux problèmes préoccupants du décrochage scolaire, de la violence à l'école et des ongles cassants ? On le saura très bientôt !

Hé, hé... J'ai écrit une histoire tellement *nawak* qu'on n'aura pas besoin de mettre un avertissement au début.

C'est inspiré d'un article que j'ai lu sur l'histoire des menstruations au fil des époques.

Toutes les horreurs que j'ai écrites au sujet des règles ont déjà fait l'objet de croyances. Évidemment, ce sont des hommes qui ont inventé ces âneries.

La cloche vient de sonner.

Ça, c'est du style

Publié le 6 février à 16 h 50
Humeur : joyeuse

> **Maîtresse du déguisement... NON!**

Mom est de retour à la maison!

Joie!

Je ne lui ai pas encore parlé parce qu'elle dort. Mais je suis quand même allée lui donner un gros câlin en collant ma joue sur la sienne. Elle a ouvert les yeux, m'a souri et s'est rendormie.

Yé!

(…)

Ma réunion avec monsieur Patrick s'est bien déroulée. Comme si je ne lui avais jamais dit qu'il était repoussant.

Pendant que je l'attendais, j'ai écrit un autre article insensé :

Les élèves mis a contribution pour générer de l'électricité

En raison de coupures budgétaires, notre école secondaire ne peut plus payer les comptes d'électricité. Une ingénieuse solution a cependant été trouvée.

Afin d'alimenter notre école en énergie, 10 roulettes géantes reliées à des génératrices ont été installées à la cafétéria. Pendant cinq minutes par jour, chaque élève devra courir dans cette espèce de roue à hamster pour humains et ainsi faire sa part pour le programme énergétique scolaire.

L'idée provient de monsieur Berthiaume, professeur de physique depuis 33 ans à notre école.

«C'était ça ou on brûlait les livres de la bibliothèque pour se chauffer», a-t-il révélé en exclusivité à *L'Écho des élèves desperados.*

«J'ai aussi fait la suggestion de brancher les influx nerveux des élèves à une génératrice. Tous les êtres humains produisent de l'électricité pour bouger leurs muscles, produire des sensations ou faire fonctionner leur système nerveux. Chaque étudiant est donc une mini centrale électrique. Cette idée m'excitait au plus haut point, j'avais enfin un projet palpitant. Mais la direction l'a trouvé trop lugubre. J'ai d'ailleurs été suspendu 10 jours pour l'avoir soumis.»

Alors, chers amis élèves, qu'attendez-vous pour enfiler vos souliers de course et vous rendre à la cafétéria afin de faire votre part pour qu'on n'étudie pas dans le noir et qu'on ne souffre pas d'engelures aux doigts quand on travaille dans les classes?

Là encore, c'est tellement extravagant qu'on n'aura pas besoin d'avertir le lecteur qu'il s'apprête à lire une fausse nouvelle.

(…)

Je n'avais pas pensé à Godzilla de la journée, jusqu'à ce qu'on m'avertisse qu'elle m'attendait à l'extérieur après les classes. J'en ai déduit que ce n'était certainement pas pour jouer à l'élastique.

Ouais, j'ai une grande intelligence.

J'ai capoté quand j'ai su la nouvelle. J'avais vraiment peur que la méthode du caméléon ne fonctionne pas. Si Valentine était avec lui/elle pour me désigner dans la foule, j'étais cuite.

Pendant l'avant-dernière période, alors que je planifiais dormir à l'école pendant toute la fin de semaine (et sûrement le restant de ma vie), Kim a eu une idée.

– Je sais! On va te déguiser!

– Me déguiser en quoi?

– Je sais pas. Le local de théâtre est peut-être encore ouvert. Je connais le prof, il est super chouette.

Avant la dernière période, Kim et moi avons couru jusqu'au local. Le prof s'apprêtait à quitter les lieux quand on l'a intercepté.

– On pourrait vous emprunter quelques accessoires pour la fin de semaine? a demandé Kim avec une voix mielleuse.

– Oh, j'ai bien peur qu'il ne me reste plus grand-chose, j'ai tout prêté.

– On peut quand même aller jeter un œil?

Le prof a gentiment accepté.

On est sorties trois minutes plus tard avec une perruque blonde, une horrible robe en lycra au motif de hamburger au fromage (le pain recouvert de graines de sésame au niveau de la poitrine, la laitue, les tomates, le ketchup, la boulette de viande au nombril, la tranche de fromage et le pain final aux cuisses), une paire de lunettes à monture noire avec des gros sourcils et une moustache collés dessus, ainsi qu'une énorme fausse poitrine.

Il ne restait effectivement pas grand-chose.

Nous nous sommes réfugiées dans la toilette où j'ai enfilé le tout (je me suis rendu compte que la robe était du genre «Gratte et renifle» parce qu'elle sentait le gras et le fromage).

En sortant de la cabine, Kim n'a pu s'empêcher de rire.

– T'es méconnaissable, mais c'est sûr que si tu sors accoutrée comme ça, des agents des services secrets vont surgir de partout pour te kidnapper et t'autopsier, question de voir comme t'es faite de l'intérieur.

En m'observant dans le miroir, ça l'a fait craquer.

– Enlève la robe et les lunettes. Le reste va être suffisant.

J'avoue que la poitrine, je l'ai aimée. J'en avais enfin une !

Je me suis mise à la tripoter comme une excitée de bas étage.

– Arrête, m'a dit Kim, tu me troubles.

Je me suis regardée de côté dans la glace.

– Tu penses que si je vais en classe avec ça, les gens vont me remarquer?

– Nam, t'as l'air d'avoir deux planètes collées sur le torse. C'est tellement gros que les objets dans nos étuis à crayons vont se mettre à orbiter autour.

– Si je ne la rends pas à au prof de théâtre, tu penses que ça pourrait être grave?

– Bah ouais, il la porte quand il n'y a personne dans son local.

– Naaan.

– Ouais, c'est du moins ce qu'on raconte. C'est un excentrique.

– Moi aussi, je suis capable d'être excentrique.

Malgré les protestations de Kim, je suis entrée dans la classe du dernier cours de la semaine avec la prothèse mammaire.

L'effet a été immédiat.

Les filles se sont mises à se taper la tête sur leur bureau de manière incontrôlable tandis que les gars sont restés normaux, c'est-à-dire qu'ils se sont gratté les aisselles en poussant des cris de guerre tout en mangeant les poux des autres.

La prof m'a demandé d'aller retirer mon «plastron» parce qu'il empêchait les élèves «de se concentrer, il perturbe le bon fonctionnement de la classe».

J'ai protesté, je lui ai dit que la nuit dernière, j'avais eu une dernière bouffée de puberté en raison du poulet plein d'hormones que j'avais mangé la veille, mais elle ne m'a pas crue.

Le problème n'était pas ma subite augmentation poitrinaire.

Non.

Trop obnubilée par mon nouveau pouvoir d'attraction, je ne m'étais pas rendu compte que la prothèse s'était détachée et que j'avais les seins aux genoux.

À la fin des classes, j'ai remis ma paire de seins bioniques en m'assurant qu'elle était bien attachée. Puis j'ai enfilé la perruque blonde.

Kim est sortie avec moi et je suis parvenue à intercepter mon frère et Tintin.

J'étais donc protégée.

Mon but était de passer inaperçue.

J'ai demandé à mes frères de se tenir à une dizaine de pas derrière nous et d'être prêts à intervenir en cas d'attaque sauvage.

J'ai tout de suite vu Godzilla sur le trottoir. Comme je m'y attendais, Valentine était en sa compagnie.

– Fais comme si de rien n'était, m'a dit Kim.

Alors qu'on approchait du monosourcil et de sa cousine, Kim m'a regardée et a fait les gros yeux.

– Nam, tes seins !

– Quoi, mes seins ?

J'ai posé mes mains sur ma poitrine. Mes seins avaient disparu !

J'ai regardé derrière moi, craignant de les avoir échappés en chemin. Ou pire, de les avoir échappés et que Tintin ait mis la main dessus; je n'aurais jamais pu les récupérer parce que mon frère aurait été tenté de s'en faire un chapeau.

– Sont où? j'ai demandé.

Kim a pointé l'index derrière moi.

– Oh non, sont là!

– Là? Où, là?

– LÀ!

En retournant ma tête le plus à droite possible, j'ai effectivement vu que ma prothèse m'avait fait faux bond et qu'elle était rendue dans mon dos.

J'étais comme un chameau.

Parce qu'on continuait toujours de marcher et que Godzilla et Valentine n'étaient qu'à quelques mètres de nous, je ne pouvais pas m'arrêter pour la remettre en place.

– Fais comme si de rien n'était, m'a répété Kim.

– Ben oui, tsé, j'ai d'énormes seins là où il ne faut pas, au moment où il ne faut pas!

Fred s'est approché de moi et m'a dit:

– Tes totons sont dans ton dos.

– Je sais, j'ai grogné.

– C'est plus facile d'attacher son soutien-gorge comme ça? a demandé Tintin. Ça risque d'être plus corsé quand tu vas avoir des bébés. Je sais pas trop comment tu vas faire pour les allaiter.

– Tintin, ce ne sont pas mes vrais seins.

– Ben voyons donc, il a rétorqué. Tu blagues?

– Non, c'est une prothèse. Me semble que c'est assez clair.

– Me disais aussi qu'ils avaient poussé vite.

– Faudra que je parle au prof de théâtre, a ajouté Kim, je crois qu'ils ont soif de liberté.

– Qui? Fred et Tintin?

– Non, non, les faux seins.

Tintin s'est permis de nous dévoiler un fait inusité:

– Hey, les filles, saviez-vous que nos mamelons étaient alignés aux lobes de nos oreilles?

– Ceux de Kim goûtent le brocoli, j'ai commenté.

– Ses mamelons? a demandé Fred.

Kim a protesté:

– Hey!

J'ai fait non de la tête avec trop de vigueur, il a fallu que je replace ma perruque.

– Non, non, les lobes de ses oreilles.

Tintin:

– T'as savouré ses lobes? Comment tu justifies ton geste?

– Je n'ai rien à justifier, c'est entre Kim et moi.

– Elle a aussi tété un de mes doigts.

– *Popsicle* à l'huuumain! j'ai bêlé.

Nous sommes entrés dans l'autobus sans que j'aie eu à affronter Godzilla et sans que Valentine m'ait vue; pourtant, dans la foule, j'étais la plus visible.

Une chamelle blonde dans un attroupement d'adolescents, ça se remarque.

Déstabilisée

Namxox

Publié le 6 février à 23 h 20
Humeur: reposée

Douce soirée

Je viens de passer une soirée super agréable avec Wolfie, mon boxeur moustachu fleuriste qui joue du bongo en sautant en *bungee*.

Il m'a envoyé un texto après souper et m'a demandé ce que je faisais. Je lui ai dit que j'étais sur le point de partir à la recherche de pythons libérés par des maîtres effrayés par leur grosseur qui, une fois dans la nature, déstabilisent l'écosystème en dévorant écureuils, oiseaux, petits chiens et distributeurs de glace pour ceux qui n'ont pas de réfrigérateur (voilà pourquoi c'est un métier qui n'existe plus, c'est la faute aux pythons), et il m'a demandé s'il pouvait se joindre à moi; j'ai répondu ouais, à deux, c'est mieux.

On est allés louer un autre mauvais film d'horreur que je n'avais jamais vu; j'avais lu dans un magazine qu'il était tellement nul que je n'avais jamais osé le regarder de crainte de basculer du côté obscur de la Force.

On a fait brûler du *pop-corn* dans le micro-ondes, je suis allée quêter des réglisses rouges à Grand-Papi, nous nous sommes glissés sous une couverture qui venait tout juste de sortir du sèche-linge et qui sentait bon la «lavande paisible» (je veux un jour sentir sa sœur, la «lavande turbulente»), j'ai posé ma tête sur les cuisses de Wolfie et, intelligent comme il est, il a compris que je voulais qu'il me caresse les cheveux. 👻

Le film était hyper mauvais, on a ri de bon cœur en se tapant dans le dos (ne t'inquiète pas, public en délire, j'avais préalablement retiré ma fausse paire de seins – parlant d'elle, alors qu'on soupait, elle a fui par la fenêtre de ma chambre; Kim avait donc raison, elle avait soif de liberté).

Hopgoblins, qui a vu le monde par forceps en 1988, raconte l'histoire d'un gars de 20 ans qui travaille comme gardien de sécurité dans un studio de cinéma. Intrigué par un coffre-fort de banque, il l'ouvre et libère des créatures venues d'ailleurs qui ressemblent aux marionnettes qu'on trouve dans les magasins à un dollar. Ces bêtes ont le pouvoir magique de réaliser les rêves de leurs prochaines victimes avant de les dévorer.

Le gardien de sécurité se transforme en rock star, il se sauve des monstres, puis il se bat avec un crétin à l'aide d'outils de jardin pour montrer à sa *chick* qu'il est le plus fort.

Évidemment, le crétin passe à la moulinette des Hopgoblins après avoir vécu le fantasme ultime de son existence : coucher avec une fille facile habillée en camisole léopard et en pantalon serré couleur or, maquillée comme un clown et portant des cheveux brisés par les permanentes et teintures successives (on est dans les années 80, les gars étaient tellement moins difficiles à satisfaire qu'aujourd'hui).

Je ne sais pas pourquoi, mais le gardien de sécurité et ses amis se sont retrouvés au Club Scum (traduction : Club ordure de la pire espèce ou Club rebut de l'humanité, au choix), où se déroulait un concours de t-shirts mouillés dont les participants étaient barbus, gros et portaient des casquettes d'un vert pas très homme.

Un gars en veste de cuir avec des nunchakus est apparu et s'est battu avec un mec habillé en soldat qui traînait des grenades avec lui. Les monstres ont attaqué, les bons ont gagné je ne sais plus comment et le générique de la fin est arrivé.

C'est à ce moment que j'ai compris pourquoi Wolfie avait cessé de me caresser les cheveux ; il était mort à force d'être exposé à autant de nullité. Il a fallu que je mette en pratique les cours de réanimations que je n'ai jamais suivis ; je ne savais pas trop quoi faire alors, oui, je l'ai giflé et il est revenu à la vie.

Il m'a rendu grâce en me disant : « Merci de ta collaboration » et je lui ai flanqué une dizaines d'autres baffes parce qu'il m'énerve quand il me dit ça.

Puis il est parti (fallait que l'auto de son père soit dans l'entrée de garage à 22 heures 59 minutes, sinon son paternel appellerait la police). Quand je suis allée le reconduire à la porte, il y a eu ce moment gênant où on ne savait pas trop comment se dire au revoir. On s'embrasse sur les joues ? On se donne un bec d'eskimos (je sais pas ce que c'est, je trouve ça juste mignon) ? On saute en l'air et on se frappe poitrine contre poitrine ?

Il m'a dit :

– Demain soir, y'a un party chez un de mes amis, tu m'accompagnes?

– Si y'a pas d'alcool, si la musique est pas trop forte et si les jeunes présents ne sont pas trop déraisonnables, oui, je vais y aller.

– *Cool.*

Il s'est retourné, a ouvert la porte, a fait une pause, puis s'est retourné encore.

– Tu t'es rendu compte que j'étais amoureux de toi, n'est-ce pas?

Je savais!

– Non, non. Pas du tout.

– Menteuse. Je sens que tu n'es pas amoureuse de moi. Mais tu sais quoi? Je vais tellement te charmer que tu vas le devenir. Bye.

Et il est parti.

Quelques secondes plus tard, je l'ai entendu faire crisser les pneus de l'auto de son père. C'est ça ou il a écrasé le chat d'un voisin, je n'ose pas aller voir.

Je suis troublée.

Certes, il a construit sa maison dans ma zone amitié; mais même une maison, ça se déménage, non?

POCHE FM

Syntonise le 99,9 FM pour ta dose de hits de l'heure, une tonne de chansons qui se ressemblent toutes parce que produites par le même logiciel éructées par des crieuses et des crieurs dont la voix a été travestie à l'excès. Assiste aux choix musicaux insipides de notre directeur des programmes qui a peur de sortir des sentiers battus pour ne pas déplaire à nos commanditaires. POCHE FM, c'est beaucoup trop de publicités à l'heure, des animateurs qui parlent comme s'ils n'avaient pas fini leur primaire et 60 minutes d'ordures auditives déversées directement dans tes oreilles.

POCHE FM, c'est moche!

Je vais t'avoir, sale mouette !

Nomxox

> **C'est oui ou non?**

J'ai pensé toute la nuit à la déclaration de Wolfie.

Avant, j'étais pas mal certaine que je n'éprouvais que de l'amitié pour lui. Il était comme un frère pour moi.

Ce matin... Je ne suis plus aussi sûre. 😐

Je croyais que pour aimer quelqu'un à la folie, fallait avoir le coup de foudre.

Hier soir, Wolfie m'a prise au dépourvu.

Habituellement, je trouve toujours une réplique. Je suis une usine à dire des niaiseries.

Il m'a bouche-bée.

La zon'a, ça existe, mais personne n'en parle, habituellement. Surtout pas celui qui est amoureux de l'autre; lui, il est condamné à se taire et à ronger son frein.

Wolfie n'a pas respecté ces règles.

Et ça me trouble.

(...)

Au déjeuner, j'ai eu une discussion (pas du tout) intelligente avec Fred et Tintin au sujet de Godzilla.

– Tu dois apprendre à te défendre, m'a déclaré mon grand frère.

– Je ne veux pas me battre, j'ai répondu en remplissant un bol de céréales. C'est primitif.

– T'as plus le choix, a ajouté Tintin. Il faudra que tu l'affrontes. Fred et moi, on pense qu'avec un peu de pratique, tu pourrais sortir gagnante d'un duel sanglant avec Godzilla.

– Ouais, a fait Fred.

– Oubliez ça, les gars. Je ne me battrai pas.

Comme si je n'avais rien dit, Tintin a poursuivi :

– On a constaté que le titan qui t'en veut souffre d'embonpoint. Comparé à lui, t'es assez petite.

Fred a renchéri :

– Donc, la première tactique que tu pourrais envisager serait de te cacher dans un de ses plis.

– Ses plis ? Quels plis ?

Tintin a montré du doigt son nombril.

– Ses plis de peau. Comme ceux de son ventre.

Fred a claqué des doigts.

– Elle va croire que t'es disparue, elle va te chercher partout. Pendant ce temps, tu pourras établir une stratégie d'attaque.

– Vous êtes cons, les gars.

– Un des outils les plus puissants et versatiles du corps est la dentition. Parce qu'on est omnivores depuis des milliers d'années, on n'a pas celle des mangeurs de viande. Il faudrait donc que tu songes à limer tes dents pour les rendre plus destructrices.

– Ouais, comme celles des lutins du père Noël.

En même temps, Tintin et Fred ont lancé :

– Quoi ?!

– Laissez faire, je me comprends.

– Namasté, a dit Tintin, parfois, je crois que tu dis n'importe quoi pour essayer de te rendre intéressante.

– Regarde qui parle.

– Tes ongles, a poursuivi Fred. Laisse-les pousser. Et colle des lames de rasoir dessus. Fais la même chose avec tes ongles d'orteils.

Tintin a pointé son couteau à beurre vers moi :

– Tu dois devenir une machine de guerre. Tu dois inspirer la peur.

J'ai déposé mon bol dans l'évier de la cuisine.

– O.K., les gars, vous êtes gentils, mais il n'est pas question que je me batte et je n'ai certainement pas l'intention...

– Une dernière chose, m'a coupé Tintin. Tu dois porter une arme sur toi.

– T'es malade.

– Mais non, a enchaîné Fred. Le truc est d'en trimballer une sans que ça paraisse.

– Oui, a continué Tintin. Un couteau, un marteau ou une tronçonneuse, c'est trop évident. Tu dois avoir avec toi et en tout temps un objet qui n'éveillera pas les soupçons.

– Tintin et moi, on a fait des recherches, on a sou-pesé les « pour » et les « contre » et on s conclu que l'arme la mieux adaptée pour toi est le javelot.

– Le javelot ? Comme dans le sport olympique ? La longue tige ?

– Exactement, a dit Tintin. Bientôt, tu vas pouvoir embrocher n'importe laquelle de tes ennemies comme un cube de bœuf sur une brochette.

– Et les gens qui vont te voir te promener avec ça ne vont jamais se douter que c'est pour achever tes ennemies.

– Effectivement, Fred. Ils vont croire qu'elle s'en sert pour retirer les rebuts qu'elle croise sur les pelouses, pour toucher les animaux inertes qui gisent dans la rue pour voir s'ils sont encore vivants ou pour curer les dents d'une baleine bleue, mais jamais, au grand jamais, pour tuer quelqu'un de sang-froid d'un coup de poignet vif.

– Vous devriez passer votre temps à regarder des vidéos de gars qui imbibent leurs vêtements d'essence et qui se transforment en torche vivante pour le *fun* au lieu d'essayer de me convertir en assassin. Ce serait plus constructif.

Quelques minutes plus tard, Pop demandait à Fred pourquoi il faisait gicler de l'essence à briquet sur ses vêtements alors que Tintin était sur le point de craquer une allumette.

Mes conseils ne sont pas toujours les meilleurs.

(…)

Wolfie vient de me texter, il veut qu'on passe la journée ensemble avant de se rendre au party.

Ça m'a chatouillée dans le ventre quand j'ai vu que c'était lui qui m'avait envoyé un texto.

J'ai hâte de le revoir.

(…)

À propos de l'édition spéciale anti-Saint-Valentin de *L'ÉDÉD* (que j'ai de moins en moins le goût de préparer), j'ai trouvé des proverbes déprimants provenant de différents pays qui portent sur l'amour :

Pologne : Ton premier amour est comme une morsure de serpent ; s'il ne te tue pas, il te paralyse.

Inde : Il y a mille misères dans un seul amour.

Allemagne : Tu peux souffrir sans amour, mais tu ne peux aimer sans souffrir.

Italie : Celui qui se marie par amour meurt misérablement de colère.

Caucase : Cédez aux désirs de votre corps, puis endurez les catastrophes qui s'ensuivront.

Espagne : L'amour, c'est comme de la soupe ; la première bouchée est chaude, mais celles qui suivent deviennent graduellement plus froides.

Niger : Quand le cœur donne des ordres, le corps devient son esclave.

Madagascar : L'amour, c'est comme une algue ; vous allez à elle, elle vous quitte, vous la quittez, elle vous suit.

Arabie saoudite : Les promesses de la nuit, faites de beurre, fondent lorsque les premiers rayons du soleil apparaissent.

J'avoue en toute humilité que je ne suis pas assez experte en algues et en beurre pour me prononcer sur les deux derniers proverbes.

(…)

Wolfie vient me chercher dans une heure, je dois aller me préparer !

ZOUKINI ! 😲

Publié le 8 février à 0 h 36
Humeur : secouée

> **Caramba!**

Oh. My. God.

Je viens de vivre la soirée la plus capotée de toute ma vie !

À suivre dans le Blogue de Namasté

tome 15

L'amour n'est pas mort

DISPONIBLES EN LIBRAIRIE
Les aventures du fabuleux Neoman

Le fabuleux Neoman – Tome 1.1
Le projet N

Le fabuleux Neoman – Tome 1.2
L'effet domino

Le fabuleux Neoman – Tome 1.3
La méthode Inferno

Le fabuleux Neoman – Tome 2.1
La théorie du chaos

Collection Grand-peur tome 1

Les têtes réduites, premier roman d'horreur de la collection Grand-peur, raconte l'histoire d'une adolescente de 16 ans, Nadia Walker, aux prises avec un problème de timidité maladive. Contre toute attente, elle devient amie avec la fille la plus populaire de l'école, Mélina Bérubé, après avoir assisté à un horrible accident impliquant le copain de cette dernière. Au grand dam de sa meilleure amie qui la met en garde, elle se laissera hypnotiser par son charisme mortel.

Mélina Bérubé est belle, intelligente et cache un secret maléfique qui changera à jamais la vie de Nadia Walker. S'ensuit un suspense à couper le souffle dont les nombreux rebondissements tiendront le lecteur en haleine jusqu'à la dernière page.

Collection Grand-peur tome 2

Après le succès retentissant des *Têtes réduites*, Namasté nous offre son deuxième roman d'horreur, *Harcelée*.

Sabrina Lavoie est nouvelle à son école secondaire. Dès le premier jour, sa marraine, Mégane Ladouceur, la met en garde contre une certaine Cindy, qui la harcèle depuis des années et que Sabrina doit à tout prix éviter. Mégane compare Cindy à une araignée qui tisse sa toile autour de sa proie pour prendre le temps de la dévorer par la suite.

Alors que Sabrina, qui a déjà été victime d'intimidation, se met dans la tête de changer Cindy, elle est pourchassée par une mystérieuse inconnue qui lui apparaît un jour dans son miroir.

Cette fille décédée depuis plusieurs mois serait une victime de Cindy.

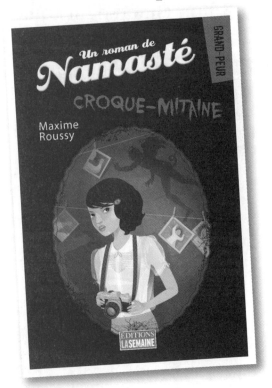

QUAND UNE IMAGE VAUT MILLE MORTS

Alice, une adolescente de quinze ans qui a le coeur sur la main, est amateur de photographie à l'ancienne avec pellicule et développement à l'aide de produits chimiques. Après que l'objectif de son vieil appareil se soit brisé en heurtant le sol, elle en trouve un usagé chez un mystérieux antiquaire.

Alice réalise rapidement que ce nouvel objectif a la particularité de prendre des clichés dérangeants. Au même instant, on souligne le dixième anniversaire d'un évènement tragique qui a eu lieu a son école secondaire. Des questions ont été laissées sans réponse et Alice croit qu'avec son objectif, elle peut y répondre. Elle met alors la main dans un engrenage qui l'entraînera dans un voyage infernal au bout d'elle-même.

Collection Grand-peur tome 4

QUAND L'ESPRIT DE FAMILLE PREND
UN TOUT AUTRE SENS...

Adèle a 16 ans. Fille unique, elle a toujours rêvé d'avoir une soeur. Pour des raisons de santé, sa mère n'a jamais pu lui offrir ce bonheur. Cependant, le rêve d'Adèle se réalise lorsque ses parents accueillent une adolescente du même âge qu'elle, une jeune fille qui semble sincèrement reconnaissante de se retrouver dans une famille aussi aimante. Mais derrière le sourire de cette nouvelle venue se cache plusieurs secrets ténébreux qu'Adèle découvrira graduellement. Et si le rêve se transformait en cauchemar?

Les esprits frappeurs, quatrième roman de la collection Grand-peur qui offre des romans d'horreur à succès pour les jeunes, est une oeuvre d'une intensité inégalée. Ce récit entraînera les lectrices et les lecteurs dans une intrigue au suspense enlevant et les captivera à tel point qu'ils ne pourront mettre de côté le roman avant d'arriver à la dernière page, où une fin surprenante et choquante les attend.

Notre distributeur :

Messageries de presse Benjamin
101, rue Henry-Bessemer,
Bois-des-Filion (Québec)
J6Z 4S9

Tél. : 450 621-8167

Achevé d'imprimer au Canada par
Marquis Imprimeur Inc.